NEGÓCIOS DIGITAIS

CARO LEITOR,

Queremos saber sua opinião sobre nossos livros.

Após a leitura, curta-nos no facebook/editoragentebr,

siga-nos no Twitter @EditoraGente e visite-nos no site www.editoragente.com.br.

Cadastre-se e contribua com sugestões, críticas ou elogios.

Boa leitura!

ALAN PAKES (ORGANIZADOR)

NEGÓCIOS DIGITAIS

APRENDA A USAR O REAL PODER DA INTERNET NOS SEUS NEGÓCIOS

Gente editora

Diretora
Rosely Boschini
Gerente Editorial
Marília Chaves
Editora
Carla Fortino
Estagiária
Natália Domene Alcaide
Editora de Produção Editorial
Rosângela de Araujo Pinheiro Barbosa
Controle de Produção
Karina Groschitz
Projeto gráfico e Diagramação
Triall Composição Editorial
Revisão
Vero Verbo Serviços Editoriais
Capa
Thiago de Barros
Impressão
Rettec Gráfica

Rua Pedro Soares de Almeida, 114,
São Paulo, SP – CEP 05029-030

Telefone: (11) 3670-2500

Site: http://www.editoragente.com.br

E-mail: gente@editoragente.com.br

Internacionais de Catalogação na Publicação (CIP)
Angélica Ilacqua CRB-8/7057

Negócios digitais: aprenda a usar o real poder da internet nos seus negócios / organizado por Alan Pakes. - São Paulo: Editora Gente, 2015.
224 p.

ISBN 978-85-452-0059-8

1. Sucesso nos negócios 2. Comércio eletrônico 3. Marketing digital 4. Empreendedorismo 5. Vendas I. Pakes, Alan

15-0809 CDD 658.812

Índices para catálogo sistemático:
1. Sucesso nos negócios 658
2. Comércio eletrônico 658.812

Às pessoas que se importam em fazer a diferença.

AGRADECIMENTOS

Meus pais contam que quando eu nasci minha avó Ercília falou que eu seria astronauta. Acredito que ela quase acertou. Eu me tornei um lunático! E pior... um lunático formador de outros lunáticos. Afinal, qual empreendedor nunca foi considerado um louco?

Se você é empreendedor e nunca foi chamado de louco, maluco, doido, lunático e coisas do gênero, é bom ficar preocupado.

Por outro lado, se costuma ser chamado de louco, comemore, você está no caminho certo.

Obrigado, Vó, por ter me colocado no caminho certo. E foram muitas as vezes.

Aos meus pais, Ana e Jairo: sem palavras para agradecer a vocês, Mã e Pá, por toda a luta e todas as emoções vividas para formar nossa família.

Ao meu irmão Juliano: Ju, você é um exemplo de ser humano, força de vontade e conquistas. Aprendo muito com você. Você nem imagina a admiração que tenho por você. Muito obrigado.

Ao meu irmão Jairo: Já, sem seu apoio e sua amizade, nada disso estaria acontecendo. Valeu!

À minha namorada, Leila: Lê, gratidão por nossas aventuras, nossas alegrias, seu companheirismo, nossa parceria e nosso amor. Você brilha!

Agradeço ao Rafael Albertoni tantas, tantas coisas, incluindo ser coautor deste livro. Gratidão especial por ter me apresentado o trabalho do Erico Rocha e por ter levantado o Conaed junto comigo. Muito obrigado, Rafa.

E, Erico, você é um gênio. Parabéns e obrigado por ter transformado a minha vida e a vida de tanta gente. Gratidão também por seu capítulo nesta obra.

Agradeço a todos vocês, Jober, Victor, Brunos Juliani e Gimenes, Ricardo, Henrique, Samuel, Ramon, Hugo, Maicon, Rogerio, Felipe, André e Christian a coautoria deste livro, tudo o que aprendo com vocês e, sobretudo, a amizade de vocês.

Ao Conrado, o verdadeiro mestre, por seu capítulo neste livro e sobretudo por sua amizade e pelas inúmeras vezes que se prontificou a me ajudar.

Pessoal do Platinum e da Wemind, vocês são demais! Meu sincero agradecimento pela amizade e por contribuir tanto comigo e com o mundo.

Minha equipe, meus clientes e as pessoas que acompanham meu trabalho, sem vocês nada faria sentido. Muito obrigado.

Gratidão a todos os palestrantes do Conaed pela generosidade de compartilhar seus conhecimentos com milhares de pessoas.

Fernando Patrício e Rafael Oda, o Conaed não teria acontecido sem vocês. Sem o Conaed, este livro não existiria. Obrigado por tamanha lealdade que vocês possuem. E Fernando, sua dedicação ao projeto do livro foi essencial para ele acontecer. Gratidão.

Também agradeço ao Roberto Shinyashiki, à Rosely Boschini e à equipe da Editora Gente, que me guiaram com maestria na construção deste livro.

E quero dedicar meu agradecimento mais especial de todos ao meu melhor amigo e sócio, Marcelo Nascimento.

Marcelo, já são quase duas décadas de parceria em inúmeras jornadas. Das festas às viagens, do Brasil ao exterior, das alegrias às tristezas, dos papos-furados aos assuntos sérios, da segunda divisão à Libertadores e ao Mundial, da primeira à última empresa, nada seria possível sem você. Gratidão eterna.

Certamente daria para escrever um livro inteiro para agradecer a tanta gente que já esteve presente em minha caminhada. Com certeza, este livro é o resultado de um pedacinho de cada uma dessas pessoas tão importantes para mim. Minha sincera gratidão a todos.

Ah... e gratidão aos loucos que constroem e movem o mundo!

SUMÁRIO

INSTRUÇÕES

Olá! Seja bem-vindo!

Eu sou Alan Pakes, organizador deste livro. Gostaria de passar instruções rápidas para começarmos a lhe apresentar o real poder da internet nos negócios.

Instrução número 1: a mais importante!

Este livro é muito mais do que um livro. Ele vai lhe trazer uma experiência completamente nova para você experimentar e sentir pessoalmente o real poder da internet nos negócios.

Este livro é apenas a ponta do iceberg. Com ele, você tem acesso grátis a um portal exclusivo, que pode acessar agora mesmo neste link:

www.conaed.com.br/negociosdigitais

Esse portal expandirá muito o conhecimento que você vai obter no livro e será sempre atualizado, permitindo que continue a ter acesso aos melhores conhecimentos sobre negócios digitais.

Instrução número 2: o mapa

Para que fique mais fácil compreender como um assunto é conectado a outro neste livro, baixe gratuitamente o "Mapa do Livro" em nosso portal.

Instrução número 3: perguntas frequentes e glossário

Também no portal, você poderá encontrar a seção "FAQ" (perguntas frequentes) e o "Glossário" relacionados ao conteúdo deste livro e sobre Negócios digitais.

Instrução número 4: organização dos capítulos

Minha sugestão é a de que você leia os capítulos na ordem em que estão dispostos. Embora este livro seja uma coletânea, os capítulos foram organizados em uma lógica sequencial para que facilite a compreensão e a aplicação do conteúdo.

Ao final de cada capítulo, há uma seção chamada "Lições Aprendidas". Nela, apresento minhas anotações sobre o capítulo. Meu intuito é compartilhar com você de forma resumida as principais lições e as sacadas que obtive. Dessa maneira, você pode usar a seção "Lições Aprendidas" como resumo, recapitulação, forma de fixar melhor o conteúdo e guia para aplicação prática.

Instrução número 5: contatos dos coautores e surpresas

No **www.conaed.com.br/negociosdigitais**, você também vai encontrar mais informações e o contato dos coautores. Assim, você poderá conhecê-los melhor e se aprofundar no conhecimento e na obtenção de resultados.

Além disso, o **www.conaed.com.br/negociosdigitais** trará surpresas a você.

Aproveite e cadastre-se agora mesmo:

www.conaed.com.br/negociosdigitais

Alan Pakes

INTRODUÇÃO

Transformar vidas! Essa é a razão pela qual sou empreendedor. É por isso que me levanto da cama todos os dias. Pode me chamar de sonhador, louco ou o que quer que seja, mas meu grande sonho é fazer algo muito maior que eu mesmo, maior que minha empresa. Meu sonho é construir um país melhor e mais justo, onde as pessoas de bem são as que têm o poder.

A maneira que encontrei para transformar vidas e construir um país melhor foi por meio da criação de empresas. Afinal, empreendedores são pessoas especiais, são pessoas iluminadas. Diferentemente do restante da população, que precisa ver para crer, empreendedores são os que creem para ver. Tudo o que está ao nosso redor um dia foi apenas uma ideia na cabeça de um empreendedor, que teve a coragem de acreditar e transformar aquilo em realidade.

Comecei minha primeira empresa aos 26 anos. Ralei muito, muito, muito... Com todo o meu esforço, meu negócio começou bem e cresceu continuamente por alguns anos. No entanto, em algum momento a coisa começou a patinar. A sensação era a de um cachorro que fica correndo atrás do próprio rabo.

A primeira conclusão que tive — a qual depois descobri estar errada — foi a de que eu trabalhava pouco. Então comecei a trabalhar mais e mais e mais... Não tinha tempo para nada, nem para os amigos, nem para a família, nem para mim. Virei um escravo de mim mesmo.

Meus amigos ficaram distantes, minha família, preocupada, e eu, sem saúde e sem dinheiro.

Como aquilo era possível? Eu era uma pessoa inteligente, com bom caráter, com força de vontade e vários atributos e virtudes. O que estava errado?

Primeira revelação

Depois que cheguei ao fundo do poço, isolado, sem dinheiro, fazendo terapia e tratamento psiquiátrico, com a empresa indo para o buraco, sem resultados, e com as contas para pagar crescendo assustadoramente, um anjo do céu cruzou meu caminho.

Um amigo chamado Rafael Albertoni apresentou-me o trabalho do especialista em marketing pela internet Erico Rocha.

Quando conheci aquele trabalho, surgiu a maior luz reveladora da minha vida empreendedora. Algo simples, óbvio, mas do qual a esmagadora maioria dos empreendedores não tem consciência.

A revelação é a seguinte: *o item mais importante de qualquer empresa é o marketing!*

Claro! Óbvio! Evidente! Elementar! Como é que eu não tinha me dado conta disso antes?

Pense comigo. É o marketing que sustenta o negócio. É com ele que se atraem pessoas para o seu negócio. Ao atrair pessoas, você faz suas vendas. Ao vender, você tem os recursos para investir em tudo o que for necessário: melhorar a estrutura, a qualidade de produtos e serviços, os recursos humanos e tudo o mais que você precisar para aprimorar seu marketing e aumentar suas vendas e os resultados financeiros.

Existe um conceito conhecido como Princípio de Pareto, ou Regra 80-20, que afirma que apenas 20% de tudo o que fazemos é responsável por 80% de todos os resultados que obtemos.

A grande massa dos empreendedores não conhece esse conceito. E, por isso, não enxerga a evidente importância do marketing. Os empreendedores se perdem fazendo tantas coisas diferentes, muito mais preocupados com os 80% de trabalho que não gera resultados do que com os 20% que gera o que fato importa: receita!

Eu não enxergava isso. E quando a importância do marketing ficou clara para mim, minha vida mudou completamente.

Pude, enfim, começar a desfrutar de uma vida pessoal e empreendedora muito mais interessante, preocupando-me apenas com o que realmente importa, tendo condições de investir mais em treinamentos, em estrutura, em pessoas, e, sobretudo, obtendo mais resultados e fazendo a diferença na vida de mais gente.

Marketing é a chave!

Contudo, as coisas não aconteceram como num passe de mágica. Afinal, marketing não é algo complicado e muito caro?

Segunda revelação

Enquanto eu vivia o ponto cego de minha vida empreendedora, ou seja, quando eu não dava ao marketing seu devido valor, meu pensamento era o de que ele era apenas uma despesa cara, caríssima! Santa ingenuidade...

A verdade é que: sim, marketing pode ser muito complicado e muito caro. É facílimo queimar rios de dinheiro e não obter retorno se você não trabalhar de forma inteligente e, especialmente, se não monitorar os resultados.

Em contrapartida, você pode ter uma fonte infinita de dinheiro para investimento em marketing se souber fazer do jeito certo.

O pensamento é o seguinte: imagine que você investe mil reais em certa ação. E essa ação retorna 2 mil reais em resultado.

Desses 2 mil reais, você pode separar mil reais para reinvestimento, a fim de gerar outros 2 mil reais, e assim por diante.

Dependendo das circunstâncias, a cada rodada pode ser reinvestida uma quantia um pouco maior que a anterior, gerando resultados cada vez mais expressivos. Dessa forma, pode-se escalar o negócio, criando o que chamamos de efeito bola de neve.

Por coincidência, quando me caiu a ficha da importância do marketing, eu estava lendo um livro chamado *Socialnomics: como as mídias sociais estão transformando a forma como vivemos e fazemos negócios*, de Erik Qualman. O livro afirmava que não era mais uma questão de escolha participar ou não das mídias sociais, mas sim *como* participar delas.

Ao ler aquele livro, os conhecimentos que vinha obtendo do Erico Rocha e de vários outros especialistas que comecei a estudar, como Conrado Adolpho, no Brasil, e Jeff Walker, Brendon Burchard, Frank Kern e Eben Pagan, nos Estados Unidos, viraram combustível puro para alimentar a nova chama empreendedora que se acendeu em mim.

Comecei então a devorar todo material que encontrava na internet. Consumia alguns materiais gratuitos e comprava alguns cursos. E, sem brincadeira, eu literalmente dava pulos de alegria, tapas na parede para comemorar cada coisa incrível que estava aprendendo.

E o motivo de toda aquela alegria era uma segunda revelação que me veio à luz. Era algo que certamente me tiraria do buraco. Eu estava convicto de que por fim me livraria das amarras que me prendiam.

A segunda revelação é: *o real poder da internet nos negócios ainda é pouco explorado.*

Só para entender, é evidente que você já sabe que a internet fez uma revolução na vida das pessoas. A comunicação gratuita e instantânea mudou completamente os hábitos de todo o mundo.

O que talvez você não saiba é que, nos negócios, a verdadeira revolução causada pela internet mal começou. E hoje representa *A Grande Oportunidade* para quem quer construir um negócio muito rentável.

Isso acontece porque em um primeiro momento as empresas simplesmente digitalizaram o mundo off-line. Contudo, com a evolução da tecnologia e, principalmente, com a evolução do pensamento, surgiram formas nativas e muito mais inteligentes de usar a internet nos negócios.

Para ser franco, a grande maioria das empresas que usa a internet hoje está fazendo do jeito errado.

Elas usam a internet para jogar um monte de propaganda em cima das pessoas. Quando, na verdade, é preciso, antes de tudo, conquistar a confiança delas. Afinal, é nítido que as pessoas compram muito mais de quem elas confiam.

E, se você parar para pensar, é lógico que a internet é o caminho a seguir.

Primeiro, a abrangência da internet é enorme. O volume de pessoas que você pode atingir é absurdamente maior do que fora da internet, mesmo em negócios locais. Onde você busca informação sobre algo que precisa adquirir? Na internet, é claro!

Segundo, o custo necessário para criar ou escalar seu negócio por meio da internet é irrisório, pois as ferramentas necessárias são muito baratas ou até de graça.

Terceiro, as ferramentas necessárias são de uso simples e automatizam grande parte ou todo o seu trabalho, aumentando enormemente a escala do seu negócio. Com essas ferramentas, quase não é mais necessário contratar a mão de obra técnica especializada que custava uma fortuna no passado.

Quarto, você pode trabalhar de qualquer parte do planeta, quando quiser e com quem quiser.

Quinto, a concorrência é muito baixa, pois a maioria dos empreendedores ainda não tem a visão de quanto a internet pode favorecê-los.

Estas duas revelações — a importância do marketing e o real poder da internet — já haviam me deixado em êxtase.

Ainda havia, porém, mais coisas boas por vir...

Terceira revelação

Existe algo muito valioso a que todo mundo tem amplo acesso. Isso vale mais do que ouro, mais do que diamante, mais do que petróleo, mais do que ganhar na loteria.

Esse algo é infinito e está por toda parte. As pessoas estão repletas disso e até sobrecarregadas com isso. E, ainda assim, vale muito.

Eis a terceira revelação: *informação tem valor inestimável!*

Sim, informação vale muito dinheiro! Contudo, não qualquer uma. O que vale muito dinheiro é a informação do tipo *solução*.

Pessoas estão dispostas a pagar por informação que traga soluções para seus problemas ou desejos, informação que causa transformação em sua vida. Mulheres com sobrepeso pagam por informação que as leve a emagrecer. Homens preocupados com segurança financeira pagam por informação sobre investimentos que garantam uma aposentadoria tranquila. Pais e mães de recém-nascidos pagam por informação que ajude a cuidar melhor de seu bebê.

E quanto maior a urgência para a solução do problema, mais caro as pessoas estão dispostas a pagar.

E ainda há outro aspecto interessantíssimo sobre a venda de informação do tipo solução. Dependendo da forma como é organizada e comercializada, a mesma informação pode ser vendida por poucos reais ou por alguns milhares de reais. Por exemplo, certa solução pode ser vendida por 30 reais, empacotada na forma de um livro, ou vendida por 3 mil reais, empacotada na forma de um curso presencial ou pela internet.

Da mesma maneira, um DVD do Roberto Carlos pode custar 40 reais e o mesmo conteúdo ser comercializado por algumas centenas de reais em um show ao vivo. E pode valer ainda mais em um cruzeiro exclusivo. A informação é a mesma, mas o valor percebido pelo público é muito distinto, pois a experiência é diferente.

Há bolsos de diversos tamanhos, e, assim, empreendedores podem aumentar bastante o faturamento utilizando-se praticamente da mesma informação, apenas a empacotando de outra forma.

Além de a informação do tipo solução valer muito, ainda há nela outro aspecto sensacional. Uma vez que se produz a informação, dependendo do tipo do empacotamento ela pode ser comercializada digitalmente infinitas vezes, sem nenhum custo adicional. Afinal, não são necessários matéria-prima, nem estoque, nem mão de obra, nem frete... Ou seja, a margem de lucro é altíssima.

Você pode estar querendo me perguntar: "Mas, Alan, e se eu vendo produto físico?".

Sem problemas. A informação continua valendo muito. Vamos supor que você tenha uma loja de bicicletas. Você tem dois caminhos a seguir. Primeiro, pode gerar conteúdo relevante para ciclistas em seu site. Com isso, atrairá pessoas interessadas em bicicletas para o seu negócio. E, ainda, o seu conteúdo vai gerar um vínculo de confiança com elas. Sabendo trabalhar o relacionamento, são grandes as chances de essas pessoas se tornarem suas clientes.

O segundo caminho é ainda mais interessante. É possível vender conhecimento relevante aos interessados em bicicletas, aumentando assim sua receita, bem como as chances de essas pessoas também comprarem suas bicicletas, graças à maior confiança que terão em você, e não na concorrência.

Esse só foi um exemplo, mas é claro que há infinitas possibilidades de vendas de produtos físicos usando o real poder da internet. Estando o público-alvo na internet, qualquer negócio pode usar o marketing digital.

E, se você me permite, gostaria de também compartilhar outras duas descobertas, duas outras revelações que foram fundamentais para o meu crescimento como empreendedor e que recomendo fortemente que você também saiba e aplique...

"Que outras revelações seriam essas, Alan?"

Quarta revelação

Você já parou para pensar por que algumas pessoas são mais bem-sucedidas do que outras, uma vez que todo mundo tem as mesmas 24 horas por dia?

Alguns pensamentos derrotistas atribuem o fato a alguém ter nascido em família rica, outros à sorte, outros ao nível de formação, e ainda há os que culpam a maneira como a sociedade é organizada.

Contudo, a realidade é bem diferente. Como já disse, esses são pensamentos derrotistas, são pensamentos que servem apenas como fuga, alívio ou consolação para pessoas que não chegaram ao sucesso ainda.

O fato é que no empreendedorismo nada disso conta. É só observar a história. Henry Ford (Ford), Steve Jobs (Apple), Bill Gates (Microsoft), Ray Kroc (McDonald's) não foram criados em famílias ricas, não completaram estudos universitários e tiveram as mesmas chances que milhares de outros a seu redor tiveram. Eles mudaram o mundo sem precisar iniciar com dinheiro, sorte, formação ou com a sociedade organizada para ajudá-los.

E não é só o caso dos grandes nomes da história. É muito provável que os maiores empreendedores que você conhece em sua cidade e em seu bairro também não tenham crescido em famílias ricas, não tiveram formação universitária, não contaram com a sorte ou coisa assim.

Você deve conhecer pessoas ricas e com formação superior que levam uma vida medíocre e também aquelas que vieram "no nada" e são muito bem-sucedidas.

Qual é a mágica?

Pois bem, a mágica é a máquina mais incrível já inventada. É algo criado pela natureza e a que todos temos acesso imediato, pois está dentro de cada um de nós. Estou falando da mente!

Quarta revelação: *o sucesso — ou o fracasso — está em como usamos nossa mente!*

Descobri isso de um jeito empírico, quando tive acesso a pessoas espetaculares que têm gerado resultados fantásticos usando o marketing pela internet. Comecei a observar que essas pessoas pensavam e agiam de maneira diferente da que eu fazia até então. E, obviamente, por consequência, seus resultados eram também diferentes dos meus.

Depois, li um livro que ratificava minha observação: *Os segredos da mente milionária*, de T. Harv Eker. Se pensarmos, sentirmos e agirmos como pessoas de resultado, a consequência natural é que também vamos ter resultados.

A ótima notícia é que podemos programar nossa mente para o sucesso. Em inglês, o termo utilizado é *mindset*. Se quebrarmos essa palavra e traduzirmos para português de forma livre, *mindset* é a "configuração da mente".

É por causa do *mindset* que algumas pessoas têm muito mais resultados que outras, embora todos tenham as mesmas 24 horas por dia.

Depois que descobri o poder do *mindset*, comecei a investir tempo, dinheiro e energia para aprimorar o uso de minha mentalidade. E, quanto mais faço isso, mais eu cresço.

E julgo isso tão importante que faço questão de ter vários empreendedores que apresentam seus *mindsets* nas palestras do congresso de empreendedorismo digital que organizo, o Conaed.

E, claro, neste livro isso não poderia ser diferente. Se quero transformar sua vida, devo começar por sua mentalidade. Por isso, os capítulos do Conrado Adolpho e do Jober Chaves estão logo no início. Ambos preparam você para pensar da maneira vencedora.

No final do livro, os capítulos do André Lima, do Bruno Gimenes e do Christian Barbosa voltam a "conversar" com sua mente, depois que você já estiver preparado para usar a internet a fim de construir um negócio que valha a pena ter.

O André mostra as travas que você deve evitar. O Bruno apresenta o caminho para que você faça diferença na sua vida e no mundo. E o Christian mostra como transitar da mentalidade de empregado para a mentalidade de empreendedor — e também como fazer acontecer.

Entretanto, chamo sua atenção para perceber em todos os capítulos o *mindset* por trás dos ensinamentos de cada autor. Você vai notar o espírito de servidão, de generosidade, de se importar de verdade com as pessoas. Vai perceber que essas atitudes fazem a diferença nos resultados e no impacto que cada um delas gera na sociedade.

Recomendo profundamente que você também adote o *mindset* dessas pessoas iluminadas. Sua vida será transformada!

"Alan, existe um atalho para a preparação do *mindset*?"

Sim, existe! Essa é a quinta revelação. E, sinceramente, é a mais importante de todas! Acompanhe...

Quinta revelação

Como já disse, descobri o poder do *mindset* de um jeito empírico, quando tive acesso a pessoas espetaculares que têm gerado resultados fantásticos.

O Erico Rocha sempre afirma que, se você é o mais sábio da mesa, você está na mesa errada. Isso porque poderia estar aprendendo com pessoas mais sábias que você.

Tudo isso me trouxe à luz mais uma revelação.

A quinta revelação é: *para fazer a diferença, é preciso estar junto de pessoas que nos façam progredir!*

Nós, empreendedores, somos incompreendidos. Somos seres solitários. As pessoas não entendem nossa forma de pensar e de agir, pois, como dito antes, nós cremos para ver, em vez de vermos para crer. A maioria acaba mais atrapalhando do que ajudando. E isso inclui pessoas próximas, como família e amigos.

Evidentemente, essas pessoas têm a melhor das intenções. Contudo, é preciso tomar cuidado para que grandes ideias e grandes conquistas não sejam enterradas de maneira prematura.

A ótima notícia é que temos conseguido reverter essa situação. Temos conseguido reunir empreendedores para se ajudar mutuamente. Temos conseguido criar um ecossistema muito mais promissor, um solo muito mais fértil para que grandes ideias floresçam e possamos fazer neste mundo um grande impacto positivo.

O atalho para preparar o *mindset* vencedor é estar junto de pessoas vencedoras.

Eu criei o Conaed para isso. Para que as melhores práticas fossem compartilhadas amplamente. Para que os empreendedores saibam o melhor caminho para começar ou escalar seu negócio.

A cada edição do Conaed, em torno de 10 mil empreendedores acompanham todo o conteúdo transformador que fornecemos. Esse sucesso jamais seria possível se não fosse pelo poder do marketing pela internet, se a informação não fosse tão valiosa e se não estivéssemos junto de pessoas com *mindset* vencedor.

A soma do conhecimento de cada pessoa cria um poder inestimável. O poder do marketing pela internet vem da somatória e da sinergia dessa inteligência coletiva.

Este livro reúne tudo isso. Ele foi criado justamente para poder compartilhar com você toda essa inteligência.

Nele, você terá acesso a conhecimento transformador. Além do *mindset* dos empreendedores, você conhecerá as maneiras em que pode trabalhar pela internet, como apresentado no capítulo do Victor Damásio.

Bruno Juliani oferece uma visão ampla do caminho a seguir. Ricardo Piovan mostra como transformar seu conhecimento em produto. Henrique Carvalho ensina como construir sua "casa própria" na internet.

E, então, Samuel Pereira e Ramon Tessmann ensinam a atrair "os convidados" certos para a sua "casa" de maneira orgânica. O Samuel trata de audiência pelo Google e o Ramon de audiência pelo Facebook.

Hugo Rocha apresenta a estrutura fundamental para construir seu ativo pela internet: a Lista! E a estrutura para vender para sua audiência.

Maicon Rissi e Rogerio Job apresentam as maneiras de se relacionar com seu público de forma automática e gerando engajamento por e-mail.

Quando você já souber como construir sua "casa" na internet, como atrair os convidados certos para ela e como se relacionar com eles, é a hora de Rafael Albertoni lhe ensinar como se comunicar para fazer as vendas.

Na sequência, Felipe Pereira mostra como monitorar seu trabalho para saber se está indo no caminho certo.

E, finalmente, Erico Rocha apresenta como é possível que todo esse conhecimento tenha capacidade de realizar um ano de venda em sete dias.

Agora, abro o livro apresentando o item mais importante que você precisa construir para ter resultados espetaculares usando o marketing pela internet: a Lista!

Tamo junto?

CAPÍTULO 1

PARA TER SUCESSO, CONSTRUA SUA LISTA!

Alan Pakes

Construa sua Lista e cuide muito bem dela. Pronto! Comecei o livro lhe dizendo aquilo que é o mais importante para você saber, compreender e aplicar a fim de obter grande sucesso no seu negócio.

O segredo de tudo está justamente em construir sua Lista e cuidar muito bem dela.

"Mas, Alan, o que é uma Lista? Como construo a minha? E como cuido dela?"

Ótimas perguntas. Começamos bem. Então vamos lá, vou lhe dar as respostas. Contudo, antes, vamos imaginar algumas situações…

Imagine você e/ou seu negócio tendo uma verdadeira legião de fãs que espalham por aí quão bons seus produtos e seus serviços são.

Imagine você e/ou seu negócio tendo clientes extremamente satisfeitos e apaixonados por aquilo que você entrega a eles e pela melhora que você causa na vida deles. Em vez de ser considerado um vendedor oportunista, você passa a ser reconhecido como um líder, uma fonte de inspiração, um herói para seus clientes.

Imagine seus clientes optando por pagar mais pelos seus produtos ou serviços ao invés de comprar mais barato da concorrência.

Agora imagine você ampliando seu número de prospectos, vendendo mais, aumentando seus lucros e causando um impacto positivo no mundo de maneira automatizada, enquanto você está livre, viajando pelo mundo com sua família.

Tudo isso parece ser bom demais para ser verdade, não?

E se eu lhe disser que isso é, sim, possível, você acredita?

Se acredita, ótimo! Se não acredita, é bom começar a acreditar, pois essa já é uma realidade na vida de milhares de empreendedores no Brasil e no mundo.

Eu jamais ousaria deixar isso registrado em um livro se não tivesse acompanhado de perto inúmeros casos de sucesso de empreendedores que usam a Lista em seus negócios nos mais variados segmentos de mercado.

Fora a minha própria história, que em algum momento terei a oportunidade de lhe apresentar com mais detalhes, conheço casos de sucesso nos segmentos de: personal training, coaching, odontologia, investimento, negócios, autoajuda, espiritualidade, roupas, cachaça, idiomas, maquiagem, desenho artístico, pôquer, música, importação, agropecuária, nutrição, desenvolvimento pessoal, relacionamento, concurso público, sexualidade, franquias, vendas, palestras, imóveis, software, eventos, consultoria, milhas aéreas etc.

A cada dia que passa, mais empreendedores, mesmo os de primeira viagem, têm gerado frutos cada vez maiores e melhores, e você está convidado a fazer parte dessa oportunidade desde já.

Estou compartilhando isso porque desejo do fundo da alma que você faça o mesmo. Que você gere riqueza para você e, fazendo dessa forma, também gerará riqueza para o mundo todo. Você construirá um mundo melhor e será muito bem recompensado por isso.

Contudo, atenção, há um detalhe, uma mudança de mentalidade em relação ao marketing tradicional que você precisa entender, pois é isso o que vai lhe dar poder. Acompanhe...

Marketing de 3 passos

Enquanto tradicionalmente as pessoas e as empresas tentam fazer vendas de imediato a seus clientes em potencial, o marketing pela internet que gera resultados quantitativos e qualitativos superiores acontece em 3 passos.

O primeiro passo é a atração das pessoas certas para o seu negócio.

A empresa que não souber atrair pessoas estará condenada à falência mais cedo ou mais tarde. E a razão é óbvia: se as pessoas não conhecerem o seu negócio ou os seus produtos, elas jamais comprarão de você. Se elas não compram, seu negócio não terá sustentabilidade financeira.

Entretanto, tão importante quanto atrair pessoas é atrair as pessoas certas. Nada adianta atrair multidões para o seu negócio se elas não possuem a necessidade a que seu produto ou serviço atende.

Apesar de isso ser evidente, muitos empreendedores forçam a barra e tentam "vender gelo para esquimó". E, mesmo que alguns vendedores habilidosos ainda consigam essa façanha, esse negócio também não se sustenta por muito tempo. As pessoas logo percebem que foram manipuladas, e as consequências negativas logo derrubarão o negócio.

Atrair as pessoas erradas representa apenas desperdício. Você queima dinheiro em publicidade com quem nunca comprará. Gasta seu precioso tempo tentando convencer aqueles que simplesmente não precisam daquilo que você oferece. Isso causa mal-estar em todos, tanto em quem está tentando convencer, quanto em você mesmo, que tem a energia drenada pelo insucesso.

Em contrapartida, atrair as pessoas certas vai energizá-lo. Imagine você investindo seus recursos financeiros, seu tempo e seu entusiasmo justamente naqueles que realmente querem ouvir você, nos que são beneficiados de verdade pelo seu trabalho, nos que de fato compram de você.

Isso cria um ambiente muito melhor e mais frutífero. Todos ganham. Seus clientes ficam mais satisfeitos. Você se sente muito mais realizado.

Depois de atrair as pessoas certas, o segundo passo é construir um relacionamento bem-feito com elas.

Vamos supor que você esteja procurando um carro usado. Surgem duas ofertas: dois carros do mesmo modelo, do mesmo ano, com as mesmas características, as mesmas condições e o mesmo preço. Uma oferta é de um desconhecido. A outra é de um amigo de longa data. De quem você compraria o carro? Do seu amigo, é claro!

A única diferença entre as ofertas é o relacionamento que você já tem com seu amigo. E isso é fundamental na decisão.

Isso acontece porque as pessoas compram muito mais de quem confiam. E a confiança é maior naquelas com as quais já possuem um relacionamento.

Esse segundo passo, o passo do relacionamento, é o que gera o gigantesco poder da Lista.

Em um mundo tão repleto de informações e ofertas, é o relacionamento bem-feito que gera confiança e reciprocidade, diferencia você da concorrência e cria inúmeras oportunidades.

E essa forma de trabalhar construindo relacionamento ainda lhe dá um benefício incrivelmente poderoso: previsão de futuro.

Você, como um bom empreendedor, deve entender que seu trabalho é descobrir as necessidades das pessoas e preencher essas lacunas.

Olha que coisa incrível! Ao ter relacionamento com as pessoas, dialogar com elas, de antemão você consegue descobrir do que elas precisam.

E então você fornece para elas exatamente isso. Dessa forma, você praticamente já conquista os clientes, antes mesmo de fazer a venda, que é o terceiro passo do marketing pela internet.

Esse é um dos motivos por que a Lista é um sistema muito inteligente de trabalhar. Em vez de você desperdiçar tempo, dinheiro e energia tentando empurrar produtos que as pessoas não querem, elas lhe dizem de antemão do que precisam. E, então, você cria ou busca no mercado o produto ou serviço certo para vender. Seus clientes vão admirá-lo, pois a satisfação deles será enorme.

Em vez de seus produtos encalharem porque você não acha os compradores, você conquista os compradores e descobre exatamente o que vender e como ofertar. Isso aumenta consideravelmente suas vendas e ainda representa uma enorme economia de tempo e dinheiro. Imagine o tamanho do desperdício se você desenvolver ou estocar produtos que ninguém queira comprar.

Dessa forma, o grande segredo é investir em relacionamento para a vida toda com seus clientes. Sua Lista se torna fonte inesgotável de renda se você se relacionar bem com eles. *Quanto mais as pessoas o conhecem, mais confiança terão em você.*

E quanto mais você conhece a sua Lista, mais produtos poderá vender para ela, incluindo produtos de valor agregado cada vez maior.

"Legal, Alan... e, afinal, o que é uma Lista?"

A Lista

O conceito é muito simples. Você organiza os contatos das pessoas com quem você se relaciona em um só lugar e investe seu tempo e seus esforços em intensificar o relacionamento com elas.

Com o tempo, esse trabalho de relacionamento com a Lista o faz conquistar a fidelidade de seus clientes. Além de clientes fiéis comprarem muito mais de você, eles também são os que recomendam o seu trabalho para terceiros. Isso é muito valioso, pois, quando alguém chega a você por recomendação, o grau de confiança já depositado é muito maior.

Construir a Lista e investir no relacionamento com ela é a chave do sucesso para o seu negócio.

É por isso que você deve construir sua Lista. Você será admirado e visto como líder de seus prospectos e clientes em seu segmento de mercado. Ao ter o posicionamento de líder de pessoas no segmento, você passa a ser percebido como uma autoridade no assunto. Estando com a autoridade estabelecida, você definitivamente se torna alguém com condições de fazer a diferença na vida de todos.

Como uma autoridade, seus resultados são maiores do que o trabalho conhecido como "trabalho de formiguinha". Você se sente orgulhoso e feliz por ser bem remunerado de maneira honesta e fazendo o bem às pessoas.

De fato, o conceito de Lista existe há décadas, muito antes de a internet ser inventada. A diferença é que a internet trouxe um poder incrível a essa forma de trabalhar. A internet faz com que sua mensagem chegue instantaneamente a um volume enorme de pessoas espalhadas por qualquer parte do planeta. Assim, seus clientes também poderão ser de qualquer região geográfica.

Note que isso é válido independentemente de você vender produto físico, digital ou serviço.

A palavra-chave nessa forma de trabalhar é relacionamento, pois as pessoas compram de quem elas confiam. Dessa maneira, se você vende produto físico, o seu relacionamento com clientes ou com clientes em potencial também pode ser construído de forma on-line. Embora ainda haja a logística de fazer com que o produto físico chegue até o comprador ou a pessoa venha até seu estabelecimento, o esforço é compensado pela maior abrangência e pelo volume de clientes que confiam em você.

Da mesma forma, Lista e relacionamento por meio da internet também dão muito poder para quem vende serviços. Para exemplificar, imagine que você tenha uma empresa de consultoria. Você pode tanto atrair mais pessoas para a empresa, quanto aumentar a fidelidade ou a indicação de clientes por meio do seu relacionamento com eles pela internet. Além da abrangência geográfica, o custo de comunicação é muito menor.

E ainda há a incrível possibilidade de você vender digitais para a Lista. Como, por exemplo, vender cursos on-line que ensinam clientes a resolver seus problemas ou conquistar algo na vida. Vamos supor que você saiba ensinar pais a orientar seus filhos para que tenham melhor desempenho escolar. Você pode construir a Lista de pessoas que tenham interesse nesse assunto e vender para elas cursos pela internet com seus ensinamentos.

"E como se constrói a Lista?"

Ótima questão. Tenho agora uma surpresa para você, caso responda "sim" para as três perguntas abaixo. Trabalhar com Lista representa possuir muito poder em mãos, por isso lhe farei estas perguntas.

Você tem o mesmo compromisso que o meu de se importar de verdade em melhorar a vida das pessoas?

Você está realmente disposto a fazer a diferença?

Você se compromete em trabalhar de forma honesta e construir um negócio que valha a pena?

Se sim, *tamo junto*! E por isso lhe preparei a seguinte surpresa: um curso grátis para ensiná-lo a construir sua Lista agora mesmo. Acesse agora este portal na internet que preparei especialmente para você: **www.conaed.com.br/negociosdigitais**. Cadastre-se gratuitamente ou entre com seus dados de acesso. Acesse o curso grátis: *Como construir sua Lista*. Faça isso agora mesmo.

Como se relacionar com a Lista (e um incentivo)

É claro que ter uma Lista não vale nada se ela não estiver bem cuidada.

Antes de mais nada, porém, gostaria de destacar que o trabalho com a Lista pode ser iniciado agora mesmo, independentemente da sua situação. Não importa sua idade, sua classe social, seu nível de instrução, seu conhecimento de computação, se você tem um negócio ou não, se tem uma ideia de produto ou não, se tem dinheiro ou não.

E, quanto antes você começar, melhor. Pois a Lista é um trabalho de longo prazo. É algo que traz retorno crescente desde que você trabalhe de forma correta e com dedicação.

É fundamental que você arregace as mangas e coloque mãos à obra. Você não vai obter nenhum resultado com esse conhecimento se não o praticar. O conhecimento por si só não vale nada, o que vale é a implementação prática. Estou abrindo as portas, mas é você que deve passar por elas e construir seu caminho. Só depende de você. E tenha convicção de é capaz. Se você enroscar em algum lugar, certamente saberá onde buscar ajuda. Os coautores deste livro são ótimas referências para você se aprofundar nos pontos em que precisar. O esforço vale a pena.

Minha recomendação é que comece a construir sua Lista e seu trabalho de atração de clientes através da internet agora, mesmo antes de continuar a leitura deste livro. Sempre insisto que a melhor maneira de aprender é pela prática. Você pratica um pouco e estuda um pouco. Depois pratica mais um pouco e estuda mais um pouco. E assim sucessivamente.

Se você acatar minha sugestão e começar a praticar agora, os conhecimentos dos demais coautores e dos bônus que você acessa no portal especial deste livro **www.conaed.com.br/negociosdigitais** serão ainda mais relevantes. Você poderá chegar ao fim do livro já colhendo os primeiros resultados (não deixe de me contar isso, hein?).

"Como eu começo agora, Alan?"

Comece pelo Curso Grátis que está no portal **www.conaed.com.br/negociosdigitais**: *Como construir sua Lista.*

Lista é tudo! Desde que você se relacione bem com ela.

Pois uma Lista sem relacionamento não vale nada! Lista sem relacionamento vira apenas uma base de dados sem sentido. Se base de dados fria tivesse valor, bastaria alguém comprar uma no mercado negro e pronto, estaria bilionário. A base de dados em si não importa. O que importa é o seu relacionamento com a Lista. Por isso, é preciso tratar muito bem a sua Lista.

"E como é que se cuida bem de uma Lista?"

Se você está me fazendo essa pergunta é porque está realmente interessado em fazer a diferença e construir um negócio rentável.

Por isso, preparei outra surpresa no portal deste livro **www.conaed.com.br/negociosdigitais**: mais um curso grátis, *Como obter mais resultados a partir da sua Lista.*

O espaço deste livro não seria suficiente para eu passar a você tanta informação, mesmo porque quero aproveitar e privilegiar o conhecimento dos demais coautores. Por isso, convido você a aproveitar os cursos grátis que deixei no portal.

Nesse segundo curso *Como obter mais resultados a partir da sua Lista*, além de você aprender como se relacionar com a sua Lista, também saberá como, com o passar do tempo, pode oferecer uma gama enorme de produtos para a sua Lista; e como oferecer produtos com valor agregado cada vez maior, ampliando suas receitas e seu lucro.

A hora é agora! Comece já a construção da sua Lista, cuide muito bem dela e aprenda o real poder da internet nos seus negócios!

CAPÍTULO 2

O MODELO MENTAL DOS EMPREENDEDORES DE SUCESSO

Conrado Adolpho

Agora que você já está familiarizado com a Lista e sua importância, vamos ao show de conteúdo dos coautores convidados. O primeiro deles é o grande mestre Conrado Adolpho. Não é à toa que o chamo de grande mestre. Ele é admirado por uma verdadeira legião de fãs graças a seu carisma, sua forma de se comunicar, seu conhecimento, seus resultados e, sobretudo, seu legítimo interesse em transformar vidas. Para chegar ao sucesso, Conrado passou por fracassos e muita persistência. Hoje, sua maturidade empreendedora é admirável. Por algumas ocasiões, tive a oportunidade de estar em sua empresa, a Webliv, e de ser testemunha da visão dele sendo materializada e multiplicada pelos membros de sua equipe. Foi um exemplo empresarial fantástico. Com toda a experiência vivida pelo Conrado, ele tem a convicção e a prova de que o sucesso começa dentro de nós. Por isso, ele vai apresentar a você sua mentalidade empreendedora de sucesso. Você deseja ter sucesso? Então comece a preparar desde já sua mente...

ALAN PAKES

Neste capítulo, você vai conhecer o modelo mental dos empreendedores de sucesso e, a partir das descobertas feitas aqui, vai conseguir mudar sua forma de pensar para empreender com mais segurança e assertividade.

Estou falando de um modelo mental que permite que você conquiste resultados expressivos e seja bem-sucedido em qualquer negócio que já tenha ou que esteja tentando construir num futuro próximo.

Para começar, é preciso que você saiba que os grandes empreendedores possuem uma série de características em comum. Eles pensam de um modo muito parecido, o que nos permite observar esse "modelo mental", que chamo de "*mindset* empreendedor".

Quando comecei a aplicá-lo em minha maneira de pensar, passei a ter resultados expressivos nos meus negócios e na minha vida pessoal.

A partir dessa técnica, você vai aprender a ter uma mente forte e pensamentos inabaláveis. Você se sentirá capaz de enfrentar qualquer crise, sem medos, sem ansiedades ou preocupações desnecessárias.

Se você mudar o ângulo de visão e a maneira como tem enxergado seu negócio seguindo esse modelo mental que vou lhe ensinar, suas chances de sucesso aumentarão substancialmente.

Em geral, as pessoas que desejam empreender já possuem 90% dos conhecimentos necessários para isso, e os 10% que faltam são justamente seu *mindset* empreendedor.

Se você já gastou rios de dinheiro com cursos, livros, testes e ainda não viu resultados, devo lhe dizer que o problema é que nenhuma faculdade e nenhum MBA vão lhe ensinar o *mindset*. E hoje sei que esse é o fator mais importante para a jornada de um empreendedor.

Replicar o *mindset* empreendedor de sucesso no seu negócio e na sua mente é o último passo que você deve dar para potencializar tudo o que já sabe e alcançar todos os seus objetivos.

Se você está se perguntando quem sou eu para afirmar tudo isso, devo então me apresentar. Sou empresário há vinte anos e estudioso do comportamento humano há quinze. Sou autor do best-seller em marketing *Os 8 Ps do marketing digital* e do livro *iJumper*, muito conhecido na comunidade de empreendedores digitais.

Atualmente, dirijo a Webliv, empresa de educação transformacional baseada em web, que obteve faturamento de vários milhões de reais em seus primeiros dezoito meses, e é uma das *startups* que mais cresce no país sem nenhum investimento externo.

Já há algum tempo tenho sido convidado para dar entrevistas em grandes veículos como a CBN e outros canais de TV, além de revistas e jornais em geral.

Ao longo da minha trajetória, aprendi muito com meus erros. Inclusive, já quebrei uma vez, em 2000, e essa foi a experiência que me fez mudar meu *mindset*.

Nos últimos doze anos, tenho lidado com empreendedores de todo o Brasil e de outros países. Tenho dado consultorias e palestras e estudado os mais diversos tipos de negócios. Por sete anos, fui proprietário de uma agência de marketing digital e tive contato com mais de 150 projetos entregues em todos os segmentos que se possam imaginar.

No início de cada consultoria, sempre faço uma pergunta: quais são os dois maiores problemas que você está enfrentando para fazer seu negócio crescer ou para montar um novo negócio?

Quando pergunto isso, a maioria dos empreendedores me fala sobre falta de mão de obra qualificada, preços cada vez mais altos, clientes que não querem pagar o preço justo, e por aí vai.

Os dois maiores problemas que os empreendedores de todo o país apontam estão ligados aos impostos e à concorrência. E, diante do que estudo e observo, posso afirmar categoricamente que nenhum desses problemas é o verdadeiro inimigo.

Sabe quem é seu maior e verdadeiro inimigo? É você mesmo! Percebi ao longo dos últimos anos que o maior motivo pelo qual as empresas quebram não são os impostos ou a concorrência. O grande fator responsável pela derrocada dos empreendedores é o fato de que eles não sabem lidar com as emoções.

A maturidade emocional é um dos principais atributos do *mindset* empreendedor de sucesso. Você já sentiu inveja de um concorrente? E isso fez com que gastasse mais dinheiro do que planejava naquele mês para comprar algo que não era a hora de adquirir? Só porque o seu concorrente tinha?

Ou sentiu um orgulho que o impediu de perguntar algo a um subordinado? E com isso acabou errando? Ou, pior ainda, deu uma de teimoso e defendeu sua opinião – que estava errada – só porque achava que chefe não podia "dar o braço a torcer" e tinha de estar sempre certo?

Ou surtou com algum funcionário na frente de todo mundo, criando um clima de medo na sua equipe? E depois se sentiu culpado e resolveu distribuir alguns bônus para todos e acabou gastando dinheiro demais?

Esses são os problemas mais comuns que acontecem nos negócios e os que de fato quebram uma empresa. Quando você NÃO consegue dominar as próprias emoções, acaba caindo em um poço sem fundo, sem nenhum controle. Uma mente forte, com um *mindset* para o sucesso, controla as emoções.

Um dos maiores atributos do *mindset* empreendedor de sucesso é o controle das próprias emoções. Só esse fator elimina pelo menos 60% dos empreendedores sem controle emocional que ficarão patinando sem saber por que não conseguem caminhar. Sem saber por que a equipe sabota seu negócio.

Outro problema que tenho percebido na maioria dos empreendedores é a falta de uma mente organizada e de clareza nos objetivos do negócio. Isso gera problemas de planejamento, de foco, de priorização de tarefas, e muitos outros.

Por exemplo: talvez você tenha problemas de foco. O dia vai embora e você fica com aquela sensação ruim de que não fez praticamente nada do que tinha planejado. Imagine trinta dias assim. Imagine sessenta dias assim. Imagine um ano inteiro sem foco. Não há negócio que resista.

Por que isso acontece? Porque sua mente não está motivada para vencer o cansaço e as distrações. A falta de foco faz com que as empresas percam muito dinheiro e quebrem. Se sua mente ainda não está forte o suficiente, é preciso treiná-la.

Além disso, você tem de achar motivos para amar o que faz. Para que entre no que chamamos de "estado de *flow*", em que nossas ações, ao executar uma tarefa ou atividade, nos façam "fluir".

Os empreendedores de sucesso têm obsessão por foco. E você só consegue ter foco quando possui uma mente organizada e clara. Fazer o que é realmente importante para o negócio, não para o ego.

Normalmente, as empresas quebram porque alguns empreendedores acabam colocando o ego acima do negócio. E algumas vezes nem percebem. É preciso que alguém diga isso. E esse é o meu papel aqui!

Esses são só dois dos problemas que os empreendedores têm por falta de um *mindset* correto. Há muitos outros que talvez você esteja cometendo e nem sabe. Estou falando de atitudes nocivas ao seu negócio que vão minando seu sucesso dia a dia, até que NÃO consiga mais reverter esse quadro.

Se você entendeu o poder que sua mente tem sobre o seu negócio, já deve ter percebido que não adianta criar teorias gerenciais e usar ferramentas de gestão se não tiver um *mindset* correto.

Tenha sempre em mente que um *mindset* errado pode levar seu negócio à falência, mesmo com todo o esforço e os investimentos que você já faz. Ao longo do tempo, SEM um *mindset* assertivo, você vai perder cada vez mais dinheiro e aumentar o risco do seu negócio.

Não é uma questão de esforço, competência ou dinheiro, é uma questão interna que pode fazer com que você queime tudo o que construiu com tanto esforço.

Alguns empreendedores lutam durante décadas e nunca chegam a lugar nenhum. Continuam reclamando que o mundo está contra eles. Parece que têm uma TRAVA que não permite que eles avancem a partir de determinado ponto.

Agora, pare e pense! Será que você é um desses empreendedores que estão travados? Você sente que não está avançando além de determinado ponto?

Parece que atingiu um teto? Ou talvez nem consiga montar seu negócio por medo do fracasso ou das críticas ou do que os outros vão pensar? Por quanto tempo vai ficar adiando seu sucesso e seus sonhos?

Quando o problema está dentro da gente, não adianta praticar nenhuma técnica nova. Não adianta mudar de negócio. Conheço vários empreendedores que mudaram várias vezes de negócios e continuaram fracassando. Porque o problema está neles.

Se você NÃO tem um *mindset* empreendedor, acaba destruindo repetidamente tudo o que construiu e sempre volta à estaca zero. E sabe por que isso acontece? Graças a uma tempestade de pensamentos que lhe invadem quando os problemas ou obstáculos cruzam seu caminho.

Perceba que seus pensamentos são a interpretação do mundo ao seu redor. Seu *mindset* é a maneira como você vê o mundo, ou seja, a maneira como você interpreta o que acontece com você. Essa maneira como vê o mundo influencia diretamente seus resultados como empreendedor.

Você toma decisões baseadas em suas conclusões a respeito do que acontece ao seu redor. Se você conclui de um jeito, toma um tipo de decisão. Se conclui de outro jeito, toma outro tipo de decisão. E como você é o líder do seu negócio suas decisões vão sempre interferir positiva ou negativamente nos resultados do que estiver empreendendo.

Entenda como isso funciona: situações geram pensamentos. Pensamentos geram sentimentos. Sentimentos geram ações. E ações geram resultados!

Sabe quando você recebe uma notícia ruim? E a partir daí fica ansioso e não consegue mais ter foco? Seu estado mental fica alterado de maneira negativa e improdutiva, o famoso "meter os pés pelas mãos"?

Pois é! Uma simples notícia pode alterar seu estado mental e acabar com o seu dia. Portanto, se você quer mudar os resultados que vem obtendo, tem de mudar seu padrão mental.

A verdade é que a maneira como você vê o mundo foi elaborada principalmente na sua infância. Estou me referindo às situações e às experiências que você teve ao longo da vida, principalmente as experiências emocionais que mais o marcaram. E posso apostar que seu padrão mental provavelmente foi o da negação, NÃO o do sucesso.

Há uma estatística que mostra que nos primeiros oito anos de vida você provavelmente recebeu cerca de 140 mil nãos. Todas as críticas e todas as negações que recebeu estão dentro da sua mente, influenciando suas decisões o tempo todo.

O que está escondido lá é que faz com que tomemos nossas decisões, muitas vezes baseadas em um modelo mental do qual não temos consciência e que não controlamos.

Costumamos ouvir afirmações que acabamos registrando como verdades, e isso nos atrapalha em nossa jornada empreendedora. Por exemplo: "Dinheiro é sujo", "Só um louco monta um negócio neste país", "A maior parte dos negócios está fadada ao fracasso", "Você nunca vai conseguir", "Você não pode fazer isso", "Só fica rico quem é desonesto", e assim por diante.

Essas afirmações entram na sua mente sem que você perceba e atravancam seu sucesso. São como vírus que ficam destruindo seus sonhos e sua motivação. É preciso desinstalar esses vírus e instalar outros softwares muito mais eficientes para que você alcance o que deseja.

Alguns desses vírus são chamados de crenças limitantes. São aquelas crenças que você toma como verdades absolutas e que limitam o seu sucesso. Elas fazem com que você não acredite em si mesmo e acabe não tendo a força necessária para avançar em direção ao seu objetivo.

Diante disso, você se pergunta: "Então, o que é o *mindset* empreendedor, afinal? Como esse modelo mental fará com que eu tenha sucesso no meu negócio?".

Para começar a refletir sobre essas questões, eu o convido a pensar sobre uma citação que o empresário Howard Schultz – o homem por trás do sucesso da Starbucks – mencionou certa vez: "Cresça com disciplina. Equilibre intuição com rigor. NÃO abrace o *status quo*. Encontre novas maneiras de enxergar.

Nunca espere uma bala de prata. Suje as mãos. Conte a sua história sem deixar que os outros definam quem é você. Seja responsável pelo que você vê, ouve e faz. Acredite".

Ele está falando justamente sobre a importância do *mindset* para o empreendedor. Carrego comigo um mantra que reforça essa citação do Schultz: "*Mindset* é contagioso". Sim, ele pode ser a derrocada do seu negócio.

Lembro-me com nitidez da primeira empresa que "quebrei". Naquela época, eu tinha o *mindset* de um técnico, não o de um líder empreendedor.

Contudo, o pior não era isso. O pior era que eu achava que tinha o *mindset* de um empreendedor. A falta de visão clara do que é o *mindset* empreendedor de sucesso me fez perder muitos anos da minha vida.

Tem uma frase do escritor Goethe que uso muito para exemplificar esse período da minha vida: "Ninguém é mais escravo do que aquele que pensa ser livre sem o ser". Eu era um escravo das minhas emoções e de um *mindset* errado. E achava que estava no caminho certo.

Talvez você esteja passando exatamente por isso. Pensar como um técnico, em vez de pensar como um empreendedor. Ou seja, você está operando com o *mindset* errado.

Eu também tinha várias crenças limitantes que me travavam. Não me achava merecedor de ter sucesso e me culpava por não ter terminado uma faculdade. Eu não acreditava que era digno de ser grande sem um diploma nas mãos.

E, mais, eu via o dinheiro como algo sujo e pecaminoso. E achava que eu só poderia ganhar dinheiro se eu trabalhasse dezoito horas por dia. Com isso, eu ficava exausto e acabava não produzindo tanto, mesmo trabalhando muito.

Com todas essas crenças limitantes dentro da minha cabeça, sabe o que acontecia? Eu acabava sabotando a mim mesmo. E foram essas crenças enganosas que fizeram com que minha empresa quebrasse.

Há uma coisa importante que aprendi com a falência da minha empresa: você não quebra de um dia para o outro. Quebrar é consequência de um conjunto de atitudes erradas, de hábitos destrutivos, de comportamentos nocivos que vão se acumulando, se acumulando... quando você percebe, já é tarde demais.

Eu pensava que fatores externos como a faculdade, o conhecimento técnico, a aparência estética da empresa ou o planejamento estratégico dela pudessem garantir o sucesso.

Hoje sei que o sucesso está ligado a uma inteligência emocional. Algo que você constrói todos os dias. E precisa ter muita disciplina para não se perder tentando sempre atender às vontades do ego. O sucesso está dentro de você. Basta desenvolver a maneira certa de ativá-lo.

Agora que você já sabe o que é *mindset* e o que são crenças limitantes, vou lhe ensinar 3 princípios do *mindset* empreendedor de sucesso – são 13, no total.

O primeiro princípio do *mindset* empreendedor diz que: "Tudo é criado duas vezes". Ou seja, primeiro você tem de criar o mundo que deseja ter na sua mente para depois recriar tudo o que imaginou no mundo real.

Se você não traçou seus objetivos, não sabe aonde quer chegar.

Então, antes de qualquer coisa, você precisa definir: O que é o sucesso para você? Quais são seus objetivos e quais são as metas que precisa atingir para chegar lá?

Se "tudo é criado duas vezes", é importante também que você analise tudo que coloca na sua mente. Por exemplo, se você só vê desgraça, sua mente tenderá a só produzir desgraça, pensamentos nocivos, comportamentos ruins, e por aí vai. O que entra na sua mente define o que sai dela. Nutra sua mente com pensamentos positivos e ambientes saudáveis.

O segundo princípio do *mindset* empreendedor diz que: "Fracasso não é o oposto de sucesso". Muitos empreendedores se consideram perdedores só porque tiveram algum fracasso na vida. Guarde bem isso. Fracasso é apenas o primeiro passo para o sucesso. O segundo passo é a persistência. Depois vem o sucesso.

Segundo a doutora Carol Dweck, psicóloga e pesquisadora de Stanford, existe um *mindset* fixo e um *mindset* de crescimento. Os empreendedores que têm *mindset* fixo acreditam que as coisas não mudam, então, quando sofrem uma derrota, passam a alimentar a crença de que, ao tentar novamente, vão fracassar. Assim, tornam-se derrotados.

Já os empreendedores que têm *mindset* de crescimento consideram que o fracasso é apenas um passo para aprender e seguir em frente, até chegarem ao sucesso.

O terceiro princípio do *mindset* empreendedor diz que: "Devemos reparar na atitude que tomamos diante de um problema". Ou seja, sua grande preocupação não é tentar reparar aquilo que lhe aconteceu, mas concentrar-se em como você reage diante do problema.

Lembra-se de quando eu falei de maturidade emocional ser um dos principais pontos do *mindset* empreendedor? Esse princípio do *mindset* empreendedor de sucesso fala justamente disso.

Se o mercado passa por uma crise e você se desespera, pode acreditar que será pego pela crise. E poderá quebrar. Contudo, se mantém a calma e pensa em soluções alternativas, você sobreviverá à crise. E crescerá mais do que todos os seus concorrentes.

O empreendedor de sucesso é aquele que vê o mundo desabar à sua volta e se mantém sereno para pensar nas soluções. Lembre-se: o problema nunca é o problema em si. O real problema é sua atitude diante do problema.

Como estamos chegando ao final do capítulo, deixo aqui algumas últimas considerações a fim de reforçar os ensinamentos que compartilhei com você neste livro.

A primeira delas é: aprenda a controlar suas emoções para começar a ter mais domínio de suas atitudes. A segunda é ter sempre em mente que seu *mindset* precisa ser forte diante das circunstâncias da vida – independentemente de quais sejam elas –, por isso não se desespere diante de uma crise, procure manter-se calmo.

E, por último, nunca se esqueça de que o seu *mindset* é a maneira como você vê o mundo, então se você tem um *mindset* voltado para o sucesso, vai interpretar o mundo do jeito certo e agir segundo esse *mindset*!

Lições Aprendidas

Grandes empreendedores possuem uma característica em comum: um *mindset* empreendedor. E é possível (e necessário) desenvolver esse modelo mental.

O maior inimigo de um empreendedor é ele próprio, pois a maioria não tem a mente organizada e lhe falta clareza dos objetivos do negócio. Isso gera problemas de planejamento, foco, priorização de tarefas, entre outros.

É preciso treinar a mente, achar os motivos para amar o que faz, no intuito de buscar a motivação para vencer o cansaço e as distrações.

É preciso ter obsessão pelo foco, fazer o que é realmente importante para o negócio e não para o ego.

A maneira de ver e interpretar o mundo influencia diretamente nos resultados do empreendedor.

Situações geram pensamentos, que geram sentimentos, que geram ações, que geram resultados.

Para mudar os resultados atuais é preciso mudar o padrão mental.

Em geral, o padrão mental dominante é o da negação, e não o do sucesso. É preciso reverter isso.

Verifique se você está pensando como um técnico, em vez de pensar como um empreendedor.

Faculdade, conhecimento técnico, aparência estética da empresa e planejamento estratégico não garantem o sucesso. É preciso inteligência emocional, algo que é construído todos os dias, com muita disciplina, até se desenvolverem os hábitos corretos. O sucesso está dentro de você.

Os 3 princípios do empreendedor de sucesso:

1. "Tudo é criado duas vezes." Primeiro, você cria na sua mente. Depois, você recria o que imaginou no mundo real. Portanto, é importante monitorar os pensamentos que você nutre em sua mente.

   Antes de qualquer coisa, você precisa definir: o que é o sucesso para você? Quais são seus objetivos e quais são as metas para chegar lá?

2. "Fracasso não é o oposto de sucesso." Fracasso é apenas o primeiro passo para o sucesso. É um passo para aprender e seguir em frente. O segundo é a persistência. Só depois vem o sucesso.

3. "Repare na atitude que toma diante de um problema." A preocupação não é tentar reparar aquilo que lhe aconteceu, mas focar a reação diante do problema.

   Em momentos de crise, é preciso manter a calma e pensar em soluções alternativas.

   O empreendedor de sucesso é aquele que se mantém sereno para pensar em soluções mesmo durante as crises. O real problema não é o problema em si, mas a atitude diante dele.

Aprenda a controlar suas emoções para começar a ter mais domínio de suas atitudes.

Tenha sempre em mente que seu *mindset* precisa ser forte diante das circunstâncias da vida. Não se desespere diante de uma crise, procure manter-se calmo.

Seu *mindset* é a maneira como você vê o mundo. Então, tenha um *mindset* voltado para o sucesso!

Surpresa para você. Agora que leu o capítulo do Conrado Adolpho, entre no **www.conaed.com.br/negociosdigitais-conradoadolpho** e baixe um bônus especial relativo a este capítulo. ■

CAPÍTULO 3

POR QUE VOCÊ NÃO FAZ O QUE PODE FAZER?

Jober Chaves

Como não se encantar com o Jober Chaves? Ele é uma verdadeira inspiração para muitos empreendedores. Ao longo da minha jornada no empreendedorismo digital, conheci diversas pessoas que me reportaram a influência positiva que o Jober teve na vida delas. Por isso, fiz questão de convidá-lo a fazer parte desta obra. Jober vive aquilo que fala, e os resultados que obtém são prova de que o que ele diz funciona. Neste capítulo, você vai acompanhar como ele começou do zero, ou melhor, do menos um milhão de reais, pedindo comida "emprestada" para as pessoas, até ser um empresário bem-sucedido. E ele vai lhe deixar para a lição das 5 chaves da verdadeira riqueza. Isso interessa a você? Claro que sim! Então, aproveite!

ALAN PAKES

Obrigado! É com essa palavra que inicio o meu capítulo neste livro. Esse é um agradecimento que faço a você que está aí lendo! Obrigado por buscar conhecimentos, por ter chegado até aqui e por manter vivo seu sonho de empreender.

E, visto que estamos juntos agora, eu gostaria de falar sobre um novo estilo de vida que pode lhe dar a chance de alcançar uma coisa chamada liberdade. Estou falando de um crescimento profissional e pessoal que lhe dará opções de escolha em relação ao que você come, veste, consome – independentemente do que ditam por aí. Vou lhe ensinar a usar as 5 chaves da verdadeira riqueza para sua vida.

Começo contando um pouco da minha história para que você possa saber quem sou e como cheguei aos ensinamentos que pretendo lhe transmitir.

Sou cofundador da Universidade do Inglês, que, atualmente, é a maior escola de inglês on-line do Brasil. Temos o maior número de alunos formados, que aprenderam a falar inglês fluentemente, num curto espaço de tempo.

Além desse empreendimento digital, também sou cofundador do Instituto Irene Vieira, instituição que atua no terceiro setor e visa à assistência social. Seu principal objetivo é ensinar inglês a uma grande diversidade de jovens de escolas públicas da cidade de São Caetano do Sul.

E agora iniciamos uma *joint venture* com uma empresa norte-americana que tem um faturamento maior que o das nossas empresas combinadas: trata-se da Digital Marketer, que estamos trazendo para o Brasil.

Somando os dois negócios, obtemos um faturamento que já ultrapassou a casa dos oito dígitos, uma grande conquista nos dias de hoje. No entanto, nem sempre foi assim.

Meu primeiro emprego foi de *office boy*. Eu recebia um salário e tinha carteira assinada. Não ganhava muito dinheiro, mas me divertia muito naquela época. Acho que teria continuado nessa vida de *office boy* indefinidamente, ou, talvez, tivesse sido promovido. Contudo, algo aconteceu e mudou o rumo da minha história: o nascimento do meu primeiro filho.

Eu estava com 19 anos e ansiava por mais estabilidade financeira – afinal, mais alguém dali por diante dependeria de mim. Foi quando consegui começar a trabalhar na Xerox como prestador de serviços, ou seja, sem os direitos trabalhistas assegurados. Eu instalava as máquinas copiadoras nos estabelecimentos dos clientes e explicava como utilizá-las.

Algum tempo depois, passei a trabalhar numa empresa e lá fiquei por cerca de dez anos. Ela era bem menor que a Xerox, e suas instalações eram num imóvel quase residencial. Lembro-me de que, certa vez, recebemos a visita de um consultor do Sebrae, que disse o seguinte: "Esta empresa, se cercar vira hospício e, se cobrir com uma lona, vira circo".

No entanto, aprendi muita coisa lá, pois acompanhei o nascimento da empresa. Os donos, dois irmãos, não tinham nenhum dinheiro e, ainda assim, conseguiram não só iniciar o negócio como fazê-lo crescer.

Atuei na área comercial, fiz viagens a trabalho, passei a participar de reuniões importantes e, durante esse tempo, acabei fechando, para essa empresa, o maior negócio da minha vida, cujos valores circularam em torno de 300 mil dólares. Ou seja, aquele empreendimento que havia sido tachado de circo e hospício foi uma escola incrível de autoaprendizagem para mim.

Muito tempo depois, ao longo da vida, cruzei com muitas pessoas que me disseram que é impossível iniciar um negócio do zero, mas eu já havia aprendido que impossível é uma palavra que não existe quando desejamos algo com muita força.

No entanto, apesar do grande pedido dos "300 mil dólares", a empresa quebrou, e, então, eu me vi desempregado, na estaca zero. Eu já havia estado naquela situação antes, o que me desmotivava mais ainda. Já havia passado por dificuldades, já havia precisado do apoio da família para as coisas mais básicas, porém, quando você é jovem e precisa de uma força, faz parte! Contudo, depois que você se casa e tem um filho, a coisa se torna humilhante! Estou falando de ter de pedir "emprestado" um quilo de carne, alguns tomates e alimentação básica para ter o que comer dentro de casa.

Foi quando fiz um curso de leitura dinâmica e memorização e passei a trabalhar com isso numa empresa. Eu ocupava duas funções: dava aulas com os conhecimentos apreendidos no curso e também cuidava da área comercial.

Eu ganhava mais, porém trabalhava todo santo dia. Isso porque os cursos eram dados aos sábados e aos domingos e, durante a semana, eu atuava no setor comercial. Então, basicamente, era como se eu tivesse dois empregos.

Tudo corria bem até que, um ano depois, o dono da empresa decidiu me mandar embora. Devo ser a única pessoa que você conhece que foi demitida porque trabalhava demais.

No entanto, antes da demissão, tive acesso a um livro que marcou minha história. Chamava-se *Revolucionando o aprendizado*, que é, na verdade, uma tese de doutorado da doutora Jeannette Vos, Ph.D. na área da Educação. Ela defendia alguns métodos de estudo que estavam revolucionando o campo acadêmico em todo o mundo.

Um dos capítulos abordava um tema muito intrigante: "Como falar francês fluentemente em oito semanas". Eu estava sentado no último banco de um ônibus, a caminho de Bauru. Devorava aquelas páginas fascinantes quando pensei: "Se isso funciona para a língua francesa, deve servir também para quem quer aprender inglês".

Na época, achei que alguém já havia trazido esse método para o Brasil, e a única coisa que eu queria era encontrar algum lugar onde eu pudesse fazer um curso daqueles em oito semanas. Para minha surpresa, porém, não encontrei nada parecido no país.

Essa foi a "deixa" para que nós – minha esposa e eu – tomássemos a decisão de trazer esse método para o Brasil. Talvez, se eu não tivesse sido mandado embora daquele meu último emprego, a Universidade do Inglês nem existisse hoje.

Abrimos nossa primeira escola no coração comercial de São Paulo, a avenida Paulista. Começamos na raça, sem dinheiro nenhum, e eu sabia que aquilo seria um sonho possível, pois havia aprendido a lição lá atrás, naquele emprego que o consultor do Sebrae chamou de circo e hospício.

Agora, você deve estar pensando: "Contudo, como se monta uma escola sem dinheiro nenhum em plena avenida Paulista?". O que nós fizemos foi o seguinte: procuramos o proprietário de um prédio empresarial e solicitamos a locação de um andar inteiro, com uma carência de três meses para pagamento.

A justificativa foi a de que precisávamos de um tempo para preparar o espaço e adequá-lo às nossas instalações. No entanto, o argumento era somente para garantirmos o contrato com a carência.

Não fizemos nenhum tipo de obra. Ocupamos o andar e passamos a funcionar quase imediatamente. Reunimos alguns amigos e pessoas dispostas a ajudar e nós mesmos enceramos, pintamos, optando por fugir de qualquer demanda maior que custasse dinheiro.

Depois, usando uma justificativa parecida com a anterior, negociamos com um fornecedor cadeiras e ocupamos as salas. Em seguida, algumas mesas foram também compradas a prazo. Em resumo, montamos uma unidade da escola de inglês na avenida Paulista sem um real no bolso. Sim, foi possível!

Montamos a primeira turma de inglês em outubro de 1997, e, oito semanas depois, eu já estava falando inglês. Fiz minha primeira viagem para os Estados Unidos em fevereiro do ano seguinte e fui ao encontro do criador daquele método fantástico.

Algum tempo depois, assinamos contrato com o Accelerated Learning e, então, os negócios explodiram. Chegamos a ter 5 mil alunos e, mais para a frente, atingimos 15 mil estudantes que cursavam nossas aulas.

Ao todo, foram abertas 20 unidades da Universidade do Inglês. Muitas delas eram franquias compradas pelos próprios alunos, que, após a vivência do curso, ficavam encantados com a velocidade com que aprenderam o idioma.

Essa foi uma época boa em que alcançamos o que eu chamaria de sucesso. Compramos carros, fizemos viagens, ajudamos a família, e a independência financeira finalmente se tornava uma realidade na minha história.

No entanto, apesar de o negócio ser um sucesso, havia uma deficiência grande com relação ao marketing da Universidade do Inglês. Naquele tempo, a internet praticamente não existia no Brasil, e não tínhamos acesso ao mundo digital e às possibilidades de divulgação nas redes, como hoje.

Éramos conhecidos em São Paulo como "a escola das faixas". Só perdíamos para político em época de campanha! O marketing do curso de inglês se resumia a uma porção de faixas espalhadas pelas ruas da cidade.

E, de repente, as coisas se complicaram. Tudo porque a prefeitura implantou o projeto Cidade Limpa, que nos impedia de colocar faixas nas vias públicas. E, do dia para a noite, perdemos tudo.

As unidades da escola de inglês começaram a fechar, e contraí uma dívida de mais de um milhão de reais. Esse foi o período mais difícil de nossa vida. Os cobradores nos telefonavam diariamente, corremos o risco de perder nossa casa, e parecia que o mundo estava de cabeça para baixo.

Fui um longo período em que tentávamos lidar com as adversidades, resolver os problemas financeiros e amparar nossos filhos, que não entendiam com profundidade a situação, mas sentiam na pele as mudanças na vida familiar.

E demorei muito, muito tempo para começar a agir. No entanto, um belo dia, eu me perguntei: "Por que você não faz o que pode fazer?". E passei a aplicar as 5 chaves, que eu já havia aprendido, mas que durante a fase de crise não conseguia usar.

A primeira chave da verdadeira riqueza está no ato de sonhar. Tudo começa com um sonho. Você precisa ter grandes sonhos para sua vida. Se você estiver vivendo uma crise, sonhe com algo maior do que o momento atual.

No meu caso, eu poderia ter sonhado com o fim das dívidas e a garantia de que minha casa não seria tomada. No entanto, isso é sonhar o óbvio. Para acessar o verdadeiro poder do sonho, eu precisava ousar mais: eu desejava me mudar para uma casa ainda maior e não só me livrar do endividamento, como também acumular riqueza. Ou seja, pensar grande!

Uma das coisas que eu não podia me permitir fazer naquele momento era parar de sonhar. Pessoas que fazem isso caem em depressão. O sonho é o alimento da alma. Ele exerce um papel vital e fundamental na construção do nosso caráter, da personalidade, da força para continuar seguindo em frente.

Portanto, não pense que "esse papo de sonhar" é "história para boi dormir". Todos os grandes nomes da História foram grandes sonhadores. Então, por que fazer o contrário do que os grandes fizeram? Lembre-se sempre: o mundo pertence aos sonhadores.

A segunda chave da verdadeira riqueza é a busca por conhecimento. Ou seja, estar sempre à procura de conhecimento – estudando, fazendo cursos, pesquisando, lendo, viajando ou mesmo conversando e interagindo com outras pessoas a fim de obter aprendizado.

Não adianta sonhar com um empreendimento se você não tiver capacitação para realizá-lo. O conhecimento é uma das ferramentas que lhe ajudam a transformar seu sonho em realidade.

Por exemplo, vamos supor que você esteja sonhando com a construção de um negócio digital que seja bem-sucedido. Isso é ótimo! No entanto, imagine que ainda não sabe direito como colocar isso em prática. O que deve fazer? O meu conselho é: vá buscar uma capacitação que esteja alinhada com esse sonho.

E depois, quando já estiver capacitado, com um bom nível de conhecimentos na área em que deseja empreender, é chegada a hora de conhecer e usar a terceira chave.

A terceira chave da verdadeira riqueza é o investimento em associações. Ou seja, você precisa começar a se aproximar de pessoas que estão na mesma caminhada que a sua e também encontrar um meio de se relacionar com aqueles que estão mais adiante, que já chegaram aonde pretende chegar.

Uma coisa muito importante: você não pode se associar com perdedores. Se, neste momento, você estiver aí se perguntando: "Mas, eu sou casado com uma pessoa assim, o que faço?", ou "Meu sócio tem um perfil perdedor, pensa negativo, como proceder?".

Nesse caso, o seu esforço será dobrado para sonhar, buscar conhecimento, automatizar suas ações e criar boas associações com pessoas que, de fato, vão lhe acrescentar em sua jornada.

Um bom exemplo de associação para empreendedores são os grupos do Mastermind. Tive a honra de participar de um que foi coordenado pelo Erico Rocha. Foi um investimento num tipo de associação em que eu pude me aproximar de pessoas que tinham os mesmos interesses que eu e que caminhavam para um mesmo lugar. Éramos um grupo unido! Nós nos ajudávamos mutuamente em todas as áreas: emocional, física e financeira.

Existem outros tipos de associação que você pode fazer por intermédio da participação em congressos, como o Conaed, palestras on-line, redes sociais, cursos na internet, entre outros. O importante é observar bem com quem você está "andando".

A quarta chave da verdadeira riqueza, que você deve aplicar para efetivar tudo o que já foi dito, é a ação de "plantar". Ou seja, ajudar as pessoas, gerar benefícios, compartilhar dicas, conselhos, informações.

Além disso, busque doar um pouco do seu tempo livre para colaborar com o próximo, seja com a força física, como ajudar um amigo a lixar e pintar as paredes da empresa dele, seja no campo espiritual, oferecendo apoio, sendo um bom ouvinte, colocando a pessoa para cima.

O nosso projeto social, o Instituto Irene Vieira, foi nossa maior plantação. Lembro-me dos dias em que eu só tinha 10 reais na carteira e usava esse trocado para colocar gasolina no carro e chegar até uma escola pública, que ficava no meio de uma favela, somente para dar aulas de inglês aos jovens.

Naquela época, eu era o cara que devia mais de um milhão de reais. E entrava nas salas de aula para falar de sonhos e da necessidade de buscarmos uma vida melhor.

Hoje, muitos desses jovens, de fato, tiveram a vida melhorada. E por isso não tenho dúvida de que aquela plantação que fiz lá atrás me deu um retorno 30, 60 e até 100 vezes maior do que eu imaginava. Portanto, você precisa aprender a plantar na sua vida!

Por último, falemos da chave mais poderosa que existe! Estou falando do grande poder da PALAVRA. Se você olhar com atenção para sua vida hoje, perceberá que ela está do jeito que você sempre "falou por aí" que ela seria.

Portanto, se quiser mudar sua vida, primeiro terá de rever as palavras que andam saindo da sua boca. Você precisa começar a construir, com palavras, o seu futuro de sucesso.

Parece fácil, não é? Contudo, pouquíssima gente faz isso! Essa é uma das coisas mais difíceis de fazer! Isso acontece porque as pessoas têm uma tendência a falar das suas dores, do que lhes angustia o coração.

Portanto, se seu coração está cheio de frustrações, mágoas e amarguras, essas serão as mensagens que sairão da sua boca. E isso vai gerar um ciclo vicioso, sem fim: você fala das suas dores, o seu ouvido escuta e joga tudo aquilo de volta para o coração. Ou seja, os sentimentos negativos não saem de dentro de você e a sua vida não se modifica.

Diante de tudo isso, meu conselho é o de que comece a prestar mais atenção ao poder da palavra. Mesmo que tudo esteja ruim, busque pronunciar palavras positivas, que expressem aquilo que você deseja conquistar.

E você pode fazer isso a todo o momento! Por exemplo, agora mesmo! Interrompa a leitura e repita para si mesmo, em voz alta: "Eu vou vencer. Eu nasci para vencer. Eu sou maior do que os meus problemas. Problemas fazem parte da vida. Eu sou maior do que as adversidades da vida. Eu sou um vencedor. Eu já passei por tantas coisas e vou superar outras tantas. Eu sou muito forte e estou predestinado às vitórias".

Essas são algumas das frases que você pode usar para encher seu coração de sensações boas. Pratique bastante o poder da palavra, até chegar a um ponto em que sua mente e sua voz só repetirão mensagens positivas.

Estamos chegando ao fim do capítulo, e escolhi encerrar contando uma história que aconteceu comigo: Certo dia, eu estava dirigindo por uma estrada e chovia muito. De repente, avistei mais adiante um homem que balançava um casaco, fazendo sinal para que eu encostasse o carro. A rodovia estava deserta e fiquei com um pouco de receio de parar ali. Contudo, deixei o medo de lado e fui diminuindo a velocidade até me ver cara a cara com o sujeito. Ele me disse: "Ainda bem que você parou! Houve um desabamento de terra e uma ponte caiu logo ali na frente. Eu estou tentando avisar a todos os motoristas que passam, mas nenhum deles parou. Houve, inclusive, um ônibus! Contudo, o condutor seguiu direto e acabou caindo no precipício. Morreu todo mundo: jovens, mulheres, crianças. Ainda bem que você parou!". Depois de ouvir aquilo tudo, a única coisa que consegui fazer foi descer do carro, tirar o meu paletó e acenar para os demais veículos que passavam. E quando alguns motoristas estacionavam na beira da estrada, eu dizia: "Obrigado por você ter parado".

Lições Aprendidas

Existe um estilo de vida que nos dá liberdade, que nos dá opções de escolha.

Aprendizagem valiosa pode ser extraída até de um empreendimento tachado de circo ou hospício.

Impossível é uma palavra que não existe quando desejamos algo com muita força.

As 5 chaves da verdadeira riqueza são:

1. Sonhar grande. Inclusive nos momentos de crise. O sonho é o alimento da alma. Ele exerce um papel vital e fundamental na construção do nosso caráter, da personalidade, da força para continuar seguindo em frente. O mundo pertence aos sonhadores.

2. Busca por conhecimento. Aprenda o conhecimento que servirá como ferramenta para realizar seus sonhos. Busque a capacitação necessária para tornar seu sonho realidade.

3. Associações. Aproxime-se de pessoas que estão na mesma caminhada que a sua. Também busque se relacionar com quem está mais à frente ou que já chegou aonde você pretende chegar. É importante estar junto dos vencedores.

4. Plantar. Plantar é o ato de gerar valor para o mundo. A colheita virá futuramente. Você precisa aprender a plantar na sua vida!

5. Poder da palavra. Seu mundo será construído pelas palavras que saem da sua boca. Se quer construir uma vida positiva, é preciso que sua mente e suas palavras sejam positivas. Pratique bastante o poder da palavra até chegar a um ponto em que a sua mente e a sua voz só repetirão mensagens positivas. Excelente!

Agora que você terminou o capítulo do Jober Chaves, entre no **www.conaed.com.br/negociosdigitais-joberchaves** e acesse o material especial extra relativo a este capítulo. ■

CAPÍTULO 4

A TEORIA DOS 3 JOGOS

Victor Damásio

Desde que conheci o Victor Damásio, primeiro on-line e depois pessoalmente, algumas de suas características sempre ficaram muito claras. Primeiro, ele é um questionador. Ele não deixa pedra sobre pedra quando o assunto é analisar seu negócio. A franqueza de suas perguntas e opiniões tira as pessoas da zona de conforto. E isso é excelente, pois o real intuito dele é ajudar. E ajudar o próximo é outra característica marcante do Victor. Seu enorme coração está presente em todas as suas ações. E por isso é uma verdadeira honra termos um capítulo dessa grande pessoa neste livro. A partir de agora, Victor vai apresentar 3 maneiras para você poder atuar no empreendedorismo digital. Então, experimente cada uma delas, escolha o seu jogo e mãos à obra.

ALAN PAKES

Com bastante frequência me perguntam sobre marketing digital e me pedem para explicar como funciona isso de "ganhar dinheiro on-line". E confesso que fico bastante incomodado com esse termo: ganhar. Na verdade, nenhuma das pessoas que você conheceu nas páginas deste livro ganhou um centavo sequer on-line. O verbo "ganhar" me remete a sorte, a acertar na loteria, a chegar ao fim de uma maratona de videogames, entre outras coisas.

É preciso que as pessoas entendam que dinheiro não cai do céu e que o empreendimento digital não é uma mágica. O mundo digital tem mais possibilidades de resultado monetário do que o mundo físico? Acredito que sim, porém, sem esforço e trabalho, nada será construído, e os 5, 6 ou até 7 dígitos que você espera que brotem no meio da sua sala não vão surgir.

Tenha em mente desde já que isso de "ganhar" não é real. O dinheiro que existe no mundo está aí, e ele troca de mãos. Saindo de uma pessoa física ou empresa e indo para outra pessoa física ou empresa. Simples assim.

Na minha opinião só existe uma forma legal e legítima de fazer com que o dinheiro troque de mãos, seja no mundo on-line, seja no off-line: gerando valor.

E gerar valor é mais simples do que parece. Basta você provocar ou ajudar a provocar algum resultado específico. Alguma transformação. Basta ajudar uma pessoa – ou empresa – que está em um ponto A a passar para o ponto B desejado. Seja melhorando o seu desempenho, resolvendo um problema específico, aumentando a intensidade de algum índice de resultado, seja por meio de outras atividades. A questão-chave é resolver um problema. Entregar uma transformação.

Exemplo simples: uma pessoa quer parar de fumar, e você, de alguma forma, facilita esse processo e faz com que ela pare. Você conseguiu prover o resultado e gerou uma mudança real para aquela pessoa e, se fez da forma correta, ainda pode ser (bem) remunerado por isso.

Agora, como usar o marketing digital para gerar valor e transformar um número ainda maior de pessoas? Para responder a essa pergunta, criei a Teoria dos 3 Jogos, que é a maneira mais simples que conheço de explicar o que é o Internet Marketing e vai direto ao ponto mostrando como você pode atuar nessa área.

Existem 3 formas de gerar valor: com um produto próprio, tornando-se afiliado de produtos de terceiros ou através de um serviço que você ofereça. Nas próximas linhas, vou explicar cada uma delas, além de apontar vantagens e desvantagens de cada modelo.

O primeiro jogo: ser um produtor

Se você deseja trabalhar com um produto próprio, ou seja, como produtor ou infoprodutor, pode pegar a sua expertise – um conhecimento, algo que domine – e empacotar esse conteúdo em forma de um produto digital.

Qual pode ser a forma? Um livro digital, um áudio ou uma sequência de áudios, uma plataforma de membros com cursos em vídeo... Não importa. Você pode entregar o seu conteúdo até em texto simples direto por e-mail.

Mais importante do que o formato de entrega que você escolher para empacotar seu conhecimento é a transformação que ele vai gerar.

Exemplo rápido: meu amigo Vinícius Possebon, personal trainer, antes de ter seu produto digital, só podia impactar um pequeno número de pessoas por vez em sua academia no Sul do Brasil. Hoje, com seu programa on-line de emagrecimento, ele consegue educar de forma passiva centenas de milhares de pessoas não só no Brasil, mas em qualquer lugar do mundo. E é muito bem remunerado por isso.

Nesse modelo, é importante entender que você agora criou um material que vai, sem depender do seu tempo, educar passivamente seu cliente final.

Vantagens de ser um produtor ou infoprodutor:

- **Controle:** você tem controle total. O que chamo de controle total? O preço do produto é você quem vai determinar. O formato do produto, se vai ser livro, áudio, vídeo, é você quem escolhe. Pode ser um curso longo ou curto, você que está no controle total e entrega exatamente o que deseja. Só depende da sua vontade! Esse controle total leva a maior flexibilidade. Você pode fazer o desconto que quiser, na hora que achar melhor. Pode fazer com que seu produto não esteja mais disponível no mercado depois de certo número de vendas ou de dias. Você tem o poder de alterar sua oferta quantas vezes quiser, acrescentando ou retirando elementos e bônus para criar a promoção perfeita para seu público-alvo, além de ter total liberdade para parcerias específicas unindo-se a outros profissionais com mensagens conexas.
- **Proximidade da transformação:** é delicioso ajudar as pessoas a conseguir o que querem. Quando o Vinícius Possebon vende um curso dele e alguém conquista a barriga "tanquinho", ele incentiva essa pessoa a mandar um depoimento sobre sua experiência. Ela fala: "Conheci a 'Queima de 48 Horas' e veja agora minha barriga tanquinho". Isso é extremamente recompensador e faz com que o Vinícius fique feliz. E isso é muito bom, porque quando você está falando de um produto seu, existe uma proximidade entre o criador do programa e a transformação que ele gera. A pessoa que queimou a barriga por causa do Vinícius vai ter eterna gratidão por ele.

- **Maior margem de lucro:** justamente por ter um controle total do infoproduto, você tem maior margem de lucro. O produto é seu. E, quando falamos em produtos digitais, muitas vezes a margem é bem alta. Por exemplo: se você estiver oferecendo um e-book (livro digital), ele tem uma margem de lucro grande porque você não tem de imprimir o livro e enviar pelos Correios. Você está simplesmente oferecendo o conteúdo do livro por download. Se o que está vendendo não é um e-book e sim uma série de vídeos que você libera através da área de membros, o que está mandando para o cliente é um nome de usuário e uma senha. Então, a margem de lucro é muito grande, e a margem de custo, extremamente pequena. Essa é uma vantagem do marketing digital e dos produtos digitais.

Desvantagens de ser um produtor ou infoprodutor:

- **Suporte:** quando você oferece um produto seu, um produto próprio, não tem jeito: tem de lidar com o cliente. E é comum que ele tenha uma série de dificuldades. Seja com o acesso ao programa em si, seja com quanto conteúdo você esteja passando. Por isso, você deve ter maior dedicação e responsabilidade. Você precisa realmente dominar o que está oferecendo.
- **Entrega:** no papel de produtor, você tem um compromisso maior com a entrega do resultado em si. O ônus é seu. Você tem de garantir que o produto chegue às mãos do comprador. Ou que ele vai fazer o download do livro, ou acessar a área de membros, de maneira que esteja sempre satisfeito. E, mais do que isso, precisa garantir que seu material gere a transformação desejada no usuário final.

O segundo jogo: ser um afiliado

E vamos para o segundo jogo. Agora, você vai entender que as vantagens e as desvantagens de cada jogo são sempre relativas, e não absolutas. Um ponto que coloco como desvantagem em um dos jogos não é obrigatoriamente ruim. Só é ruim se comparado com os outros. Para explicar esse Jogo dos Afiliados, vou citar um exemplo prático.

Como falei antes, conheço o Vinícius Possebon, que é um infoprodutor de sucesso na área de emagrecimento. Não sou professor de academia. E, pode acreditar, não tenho uma barriga tanquinho. Contudo, conheço o Vinícius e já vi depoimentos de centenas de clientes satisfeitos que ele tem.

Vamos supor que, coincidentemente, eu tenha uma amiga chamada Mariazinha que quer ter essa barriga tanquinho. Contudo, ela não conhece o Vinícius. O que posso fazer? Aproximar os dois, fazer o meio de campo. Esse é o papel do afiliado. Ele junta as duas pontas. Ele apresenta ao produtor um cliente ao qual, talvez, aquele produtor nunca teria acesso com o marketing dele e, ao mesmo tempo, faz com que um cliente que talvez nunca tivesse acesso àquela solução passe a encontrá-la.

Perceba que interessante: o Vinícius ganhou um cliente que, talvez, ele nunca conhecesse sem a minha indicação. A Mariazinha ganhou a transformação na vida dela, e ela nunca alcançaria esse resultado se não fosse por minha indicação. E eu, como afiliado, fui remunerado pela venda de um produto que, talvez, eu nunca pudesse fazer sozinho.

O afiliado atua como o homem do meio, que apresenta as duas pontas e cria o que gosto de chamar de relação Ganha-Ganha-Ganha.

Se você reparar, essa questão da indicação é uma coisa que a gente já faz naturalmente em nosso cotidiano. Faz parte da nossa natureza. Se você assiste a um filme e acha que ele é muito bom, é natural que o indique e compartilhe com seus amigos.

No caso do filme, você não será remunerado por recomendá-lo às pessoas. Contudo, no Marketing de Afiliados, pode ser comissionado por isso! E o legal é que, como a margem de lucro é alta no mundo on-line, é comum as comissões chegarem e até ultrapassarem o patamar de 50% do valor da venda!

Vantagens de ser um afiliado:

- **Receber um produto pronto:** como afiliado você não precisa criar um produto do zero, você vai simplesmente fazer uma indicação. Não tem de ficar fazendo pesquisa de mercado, entender qual é a melhor forma de chegar ao resultado, pensar nas exceções e tudo o mais. Aqui, não. Você realmente tem uma curva de aprendizado muito menor. É possível, inclusive, que, em menos de 24 horas você consiga fazer sua primeira venda como afiliado.

- **Rapidez e simplicidade na negociação:** o trabalho do afiliado é relativamente rápido se comparado com o do infoprodutor! Simplesmente faço minha indicação e falo: "Mariazinha, você quer isso aqui?". Se ela quiser, ótimo. Caso não, tudo bem! O afiliado tem essa velocidade no negócio que possibilita o contato com muitas pessoas em curto espaço de tempo.

Desvantagens de ser um afiliado:

- **Falta de controle:** apenas para exemplificar: eu não escolho o preço da "Queima de 48 Horas". Quem escolhe é o Vinícius. Eu não escolho quanto tempo o produto vai estar disponível no mercado, quem escolhe é o infoprodutor. Como afiliado, não tenho nenhum controle sobre isso. Não posso oferecer um desconto, quem controla isso é o produtor. Não posso fazer uma promoção do meu jeito, quem faz isso é o produtor. Então, existe uma falta de controle, e, justamente por isso, você tem menor flexibilidade e também menor margem. O produtor controla todos esses pontos. Isso fica bastante intuitivo quando você começa a comparar os dois jogos.
- **Risco de fraude:** fique atento! Você só deve promover pessoas em quem confia plenamente. E por que falo isso? Se você indica um infoprodutor e ele não faz a entrega como prometido na oferta, você cria uma experiência negativa para sua audiência. Se você indica uma furada, você é uma furada. E perceba que a audiência não vai ficar chateada apenas com o infoprodutor... Vai ficar chateada também com o afiliado que fez a indicação ruim. Então, você tem de cuidar das suas relações e do seu ativo, que é a relação que tem com as pessoas que escolheram ouvi-lo. Promover somente produtos de pessoas de confiança.
- **Distanciamento dos resultados:** gosto de ver pessoas transformadas, gosto de saber que fui parte fundamental no processo de evolução delas. E, no Marketing de Afiliados, você nem sempre pode curtir e acompanhar esses resultados. Acho ótimo saber que, quando as pessoas vão dormir com suas dores resolvidas, elas se sentem agradecidas. Contudo, muitas vezes, elas não agradecem diretamente ao afiliado, pois em alguns casos nem sabem que esse intermediário existe.

Elas criam uma gratidão maior pelo infoprodutor. E está tudo bem para a maioria das pessoas, mas faz tempo que não estou mais nesse negócio pela recompensa monetária. Hoje, o que me paga é poder testemunhar a transformação que gero e acompanhar os casos de sucesso. Como afiliado, isso é um pouco mais difícil.

O terceiro jogo: ser um prestador de serviço

Esse é o jogo mais simples de explicar, visto que todos estão mais acostumados com ele e sabem como funciona. Até aqui você entendeu o que é ser um produtor e o que é ser um afiliado. Agora, o serviço é um Jogo diferente. No serviço, o que entra em campo não é um conhecimento seu empacotado previamente nem um produto de terceiro que você está indicando como afiliado.

Neste jogo é você que coloca a mão na massa e atua de forma direta no seu cliente final, provocando a transformação. Estamos falando do Jogo 3, de maneira geral, sempre que estamos, na prática, trocando tempo por dinheiro. Por exemplo: oferecendo terapia, coaching, mentoria 1 a 1 ou em grupo.

Vantagens de ser um prestador de serviço:

- **Preço do serviço:** normalmente, é mais comum que você consiga cobrar mais quando oferece um serviço. O Vinícius pode cobrar muito mais pela hora de atendimento personalizado 1 a 1 com ele do que pelo seu programa digital. Perceba: uma coisa é você como autor, por exemplo, escrever um livro uma vez e ele ser comercializado inúmeras vezes para o resto da sua vida. Outra coisa é você, autor, ser contratado para falar, on-line ou presencialmente, com o cliente que comprou o livro. Como essa segunda opção envolve seu tempo, que é mais raro e por isso valioso, essa possibilidade se torna bem mais cara. É um dos pontos positivos de jogar o Jogo 3, e você pode ter uma margem bastante grande aqui também e cobrar bem mais caro por um serviço do que por um produto.
- **É recompensador:** colocar a mão na massa pode ser bastante recompensador se você ama o que faz. Quando está na frente do seu cliente literalmente ou usando o poder da internet, através de uma chamada em vídeo, por exemplo, fica bem visível o resultado do seu trabalho,

pois você percebe na mesma hora se o cliente está ficando satisfeito ou não. Se você é um coach, consegue feedback imediato no decorrer do processo, visto que seu cliente ou grupo de clientes, caso esteja atendendo em grupo, vai reagindo com você passo a passo, e é possível perceber onde você está errando e onde está acertando.

- **Impactar pessoas de forma direta e indireta:** lembra-se daquela questão que posicionei como um ponto muito positivo para mim? A proximidade da transformação? Aqui ela é muito real. Por exemplo, tenho um Grupo de Mentoria e ofereço coaching em marketing digital. Quando um cliente meu, por causa do meu coaching, consegue atingir melhor o mercado dele ou fazer com que seu produto venda mais, isso faz com que sua mensagem alcance um número maior de pessoas. É óbvio que ele acaba sendo mais bem remunerado por isso, mas o que gosto de perceber é que isso gera um benefício não só para o meu cliente, mas também para as pessoas da família dele e para os novos clientes que ele consegue atingir, que também melhoram de vida de alguma maneira, e ainda as famílias desses novos clientes. Isso faz com que, de forma direta e indireta, eu consiga impactar um número muito maior de vidas. Então, quando você oferece um serviço, consegue criar uma verdadeira corrente do bem, porque atinge um número de pessoas tão grande que nem pode medir.

Desvantagens de ser um prestador de serviço:

- **Vender horas:** no Jogo 3 você está trocando tempo por dinheiro. Lembre-se sempre disso. É simples: um dia tem 24 horas, então, se você for uma pessoa normal, dorme 8 e sobram 16. Você não tem como controlar, você só tem essas 16 horas. Se você for uma pessoa menos regrada, como eu – que durmo bem menos que 8 horas –, digamos que você tem lá suas 20 horas. Contudo, ainda assim, elas são finitas. Elas acabam. E o que acontece? Quando você trabalha com o que ama, você não sente que está trabalhando. E pode acabar entrando em um fluxo em que quer atender mais e mais pessoas, e, se você está nesse jogo de oferecer serviço, é possível que acabe caindo na armadilha de atender mais gente do que consegue. E olha que bizarro: você se propôs a fazer algo de que gosta e se flagra não gostando mais tanto do que faz. Isso é porque você negligenciou a relação tempo × dinheiro.

Você não soube dosar da melhor maneira possível. Então, meu conselho é: tome muito cuidado com esse ponto. Hoje, para mim, não tem nada mais importante do que a questão do tempo e da liberdade. Portanto, você tem de saber equilibrar isso para não transformar seu sonho em pesadelo.

- **Clientes chatos:** parece meio presunçoso falar isso, mas a verdade é que você precisa evitar clientes chatos, porque terá de lidar com eles de forma direta. Tenho vários amigos que reclamam de seus clientes. Você já teve um cliente chato? E por que continua com ele? Meu conselho é o seguinte: seja criterioso na hora de escolher um cliente, tanto pessoa física quanto jurídica. Contudo, se acabar aceitando um cliente chato, termine o serviço e não o atenda mais. Simplesmente não renove. Você pode dizer não, sabia? Lembre-se: um cliente chato é capaz de drenar sua energia. Seleciono muito com quem eu quero trabalhar e acho que você deveria fazer o mesmo. Para trabalhar diretamente comigo hoje, só depois de ser entrevistado. Assim eu me preservo, preservo minha energia e só aceito os clientes ideais. Aqueles para quem estou mais apto a gerar resultados e a quem mais posso ajudar a alcançar os objetivos.
- **Compromisso:** ao contrário do que acontece no Marketing de Afiliados – em que você pega um link, envia e provoca transformação –, aqui, na prestação de serviços, você realmente tem de estar preparado e dominar o que faz. Porque a transformação da pessoa ou empresa é um compromisso seu, e só seu. E você precisa estar fortemente capacitado.
- **Responsabilidade:** você é o responsável pelo resultado final. Ou seja, se foi contratado para colocar um prego na parede, você é responsável por aquilo. Então, seu trabalho é direto, e a responsabilidade é sua.
- **Inadimplência:** não sei você, mas odeio cobrar pessoas. Não gosto disso. Acho que é uma coisa que desgasta a relação com o cliente. Então, elimino totalmente qualquer possibilidade de inadimplência. Sabe como? Simples: pedindo pagamento antecipado. Simples assim. Você pode oferecer garantia, mas resguarde-se da possibilidade de tomar um calote pedindo sempre pagamento antecipado. Eu acabo ficando amigo dos meus clientes, então, quando adoto essa política de pagamento antecipado, é uma forma de proteger nossa relação comercial e também a relação pessoal que começa a ser criada.

Agora que você já entendeu as três possibilidades de atuação profissional que apresentei dentro do marketing digital, o que posso dizer é que a analogia entre a área profissional e o mundo dos esportes foi feita pensando que os 3 Jogos são três formas diferentes de trabalhar, com regras e estratégias distintas. Para praticar esportes diferentes, você precisa de equipamentos diferentes. A bola correta, acessórios específicos... Isso também acontece aqui com as ferramentas que você vai usar para atuar em cada uma das modalidades que apresentei.

E o meu conselho é: experimente cada um dos 3 Jogos para descobrir em qual deles você se encontra. Onde você gosta mais de atuar. Você pode construir seu negócio misturando dois jogos ou até três, como eu faço. Ou pode simplesmente se especializar em um. Não tem nada de errado e não existe apenas um caminho certo. Por isso repito o conselho: experimente.

Esteja, entretanto, atento às peculiaridades de cada jogo e tenha sempre em mente que, no campo dos esportes, existem sempre ao menos duas figuras: as "estrelas" e os treinadores.

No golfe, por exemplo, o nome de destaque mundial (ao menos até pouco tempo) é o jogador Tiger Woods. Então, se você joga golfe, é provável que deseje ver de perto os movimentos dele, afinal, Woods é uma estrela e você quer aprender a jogar como os tops jogam! Você quer entender e modelar seus movimentos e aplicar o que aprende na sua maneira de jogar.

Agora, até o Tiger Woods tem um treinador, um coach. E é bem provável que o coach dele jogue muito pior que ele!

Então, diante dessa constatação, a pergunta que surge é: por que o melhor jogador de golfe do mundo tem um treinador que joga pior que ele? A resposta é simples: porque o treinador consegue olhar para o seu jogo e perceber os pontos que precisam de melhora. Consegue apontar com clareza seus acertos, suas falhas, a forma com que ele pode alcançar maior desempenho, a observação sobre a mudança de movimento e estratégia em cada partida de acordo com os fatores externos, e assim por diante.

Então, voltando ao mundo dos negócios, se você quiser jogar um desses 3 Jogos on-line, identifique quais serão suas referências! Estou falando tanto das "estrelas" que você quer seguir, dos craques com quem vai aprender, como também do treinador que pretende escolher para acompanhar sua jornada.

Reforço o conselho para que você "flerte" com os 3 Jogos aqui expostos. Procure se aproximar, pelo menos um pouco, do universo que envolve cada um deles e, depois, tire as próprias conclusões a fim de descobrir com qual deles você se afina mais.

Quando dou essa recomendação para as pessoas, costumo ouvir o argumento de que experimentar os 3 Jogos é impossível, pois são muitas regras, técnicas e orientações para colocar em prática!

Se você viesse me perguntar hoje: "Victor, como você vence a sobrecarga de informações?". Minha resposta seria a seguinte: "A minha forma de vencer o *Information Overload* é quebrar todos os projetos em etapas menores".

E essa é uma dica muito importante para qualquer coisa de médio ou longo prazo que deseje realizar em sua vida: divida a jornada de trabalho em etapas menores para que possa visualizar e começar a executar uma a uma.

Sei que parece uma dica simples, mas não deixe que isso o engane.

Por mais que não consiga fazer tudo dentro do prazo, se houver um guia, um passo a passo, você saberá o tempo todo exatamente onde parou e qual é a próxima etapa para continuar seu caminho.

Se precisar pedir ajuda a alguém, por exemplo, será bem mais fácil mostrar a essa pessoa tudo o que você já fez, onde parou e quantas etapas faltam para concluir.

A maioria dos que iniciam um projeto ligado ao marketing digital acaba esbarrando justamente nisso: recebe um acúmulo de informações e fica paralisada, não consegue sair do lugar! São pessoas que, de alguma forma, não conseguem quebrar os processos de trabalho em etapas menores. Isso pode matar seu projeto. Pode destruir seu sonho.

Então, meu conselho, novamente – sei que parece simples, mas leve isso para tudo o que fizer na sua vida –, quebre as coisas em etapas. Isso fez muita diferença para mim, e espero que faça também para você.

Lições Aprendidas

A maneira legítima de fazer com que o dinheiro troque de mãos é: gerar valor, que, por sua vez, é resolver um problema, entregar uma transformação.

Os 3 Jogos para gerar valor: como produtor, como afiliado e como prestador de serviço.

1. Produtor: transforma conhecimento e expertise em produto digital. Papel de educador do cliente final.
   - Vantagens: maior margem de lucro; controle total: preço, formato, entrega, desconto, oferta, disponibilidade no mercado, parcerias.
   - Desvantagens: suporte ao cliente; maior compromisso com a entrega.
2. Afiliado: faz a aproximação do produtor com o cliente final. Relação Ganha-Ganha-Ganha. Produtor ganha cliente, cliente ganha solução e afiliado ganha comissão.
   - Vantagens: não é preciso elaborar o produto, basta indicá-lo; rapidez e simplicidade na negociação.
   - Desvantagens: falta de controle e menor flexibilidade; risco de o produtor não atender às expectativas que você gera em sua audiência; distanciamento da transformação obtida pelo cliente.
3. Prestador de Serviço: atua diretamente com o cliente final, trocando tempo por dinheiro.
   - Vantagens: cobrar mais caro pelo serviço; recompensador pelo contato imediato com o cliente; impacto direto nas pessoas e indireto por poder ajudar também a família e os clientes de seus clientes.
   - Desvantagens: vender hora, trocar tempo por dinheiro (tomar cuidado para não transformar sonho em pesadelo ao se propor a atender mais gente do que é possível em suas horas disponíveis); clientes chatos (é bom ser criterioso na hora de escolher o cliente para poder preservar a energia); maior compromisso e responsabilidade direta; lidar com inadimplência.

Cada um dos 3 Jogos possui regras distintas. É preciso experimentar cada um para saber em qual se encaixa melhor.

É muito bom ter um coach (treinador), pois ele é capaz de olhar para o seu jogo e apontar os pontos de melhorias, falhas, melhores estratégias, como você pode alcançar um melhor desempenho.

Escolha boas referências tanto para seguir quanto para ser seu treinador.

Uma boa maneira de lidar com excesso de informações é quebrar o processo em etapas menores.

E agora acesse o material extra relativo ao capítulo do Victor Damásio no **www.conaed.com.br/negociosdigitais-victordamasio**. Há surpresas lá para você. ■

CAPÍTULO 5

CONSTRUINDO SUA M.A.R.C.A. NO MARKETING DIGITAL

Bruno Juliani

Agora que nos capítulos anteriores você descobriu a importância da Lista, aprendeu a preparar seu *mindset* e ficou ciente das diferentes opções de atuação usando a internet nos seus negócios, Bruno Juliani vai lhe apresentar um método para visualizar os passos necessários no marketing digital, independentemente do produto ou serviço que você venda. Bruno Juliani é coach e fundador da Abracoaching, uma das principais escolas de formação de coaches do Brasil. Eu mesmo tive a oportunidade de fazer a formação de coaching através de seus ensinos, e é impressionante a forma pragmática que o Bruno utiliza para levar as pessoas do estado atual para o estado desejado. O Bruno não só ensina a parte técnica de coaching, mas também como se conquistam clientes. Por isso, o método M.A.R.C.A. que ele apresenta neste capítulo é muito importante para você entender todo o processo de conquista de seus clientes. Aproveite.

ALAN PAKES

Dizem por aí que quando você chega ao fundo do poço, só há uma direção a seguir: a subida. Quando você não tem mais para onde cair, os pés se apoiam no chão e lhe impulsionam para cima. Foi o que aconteceu comigo quando perdi mais de um milhão de reais na Bolsa de Valores e tive de explicar a meu pai como deixei escorrer pelo ralo parte da verba que foi "tomada emprestada" da empresa dele.

É isso mesmo! Aconteceu comigo, e naquela época foi difícil encontrar uma saída. O desânimo me abateu, e a falta de dinheiro e de emprego (que eu tinha na empresa do meu pai e perdi) fez com que minha esposa e eu passássemos a viver com muita dificuldade financeira. O fundo do poço parecia ser o único lugar possível para mim.

Naquela época, eu já era casado e tinha uma filha, ou seja, estava em jogo o sustento de toda uma família. Por isso, meu pai nos comunicou que passaria a dar uma pequena contribuição – ou seja, uma mesada – para nos ajudar. Resumindo, regredi quinze anos na minha vida, pois havia recebido minha última mesada aos 17.

Envolto em uma situação de extrema crise, entrei numa fase emocionalmente delicada. Procurava empregos, buscava saídas alternativas, mas nada parecia dar certo. No entanto, minha sorte começou a mudar quando iniciei um treinamento com um coach de desenvolvimento pessoal! Ele me ajudou no processo de recuperação de minha autoestima, trabalhou minhas crenças limitantes e, aos poucos, consegui me conectar novamente com o mundo e com a minha força interior.

Algum tempo depois, já renovado de ânimo, comecei a pensar na possibilidade de atuar como profissional de coaching, pois percebi que ajudar as pessoas era algo contagiante!

Então, aos pouquinhos os negócios passaram a dar certo, e fui saindo do "buraco". Comecei prestando serviços para amigos e em seguida para empresas. Pouco tempo depois, resolvi fundar uma escola para formar outros coaches, a Abracoaching.

Tudo estava dando certo, mas eu estava viajando demais para dar treinamento e sentia falta de um conteúdo eficiente de marketing que ajudasse os meus coaches recém-formados. Resolvi, então, viajar e fazer um curso nos Estados Unidos que me abriu os olhos para uma nova maneira de divulgar e vender produtos, o marketing digital.

Empolgado com a ideia, logo arregacei as mangas e fiz a viagem, com o propósito de aprender mais sobre o assunto. Eu sabia que havia um curso com um palestrante e treinador de renome mundial: Brendon Burchard, especialista em alta performance e marketing digital.

E a experiência foi transformadora, pois me dei conta da existência de todo um "mundo invisível" que antes eu não mensurava: o universo on-line e o marketing digital.

A partir disso, passei a praticar muitos dos ensinamentos e usar as ferramentas disponíveis na internet para alavancar minha carreira, conquistando o sucesso que eu tanto desejava.

Criei várias técnicas para ajudar as pessoas a também conquistarem o sucesso em suas carreiras e, posteriormente, acabei organizando teorias e práticas assertivas dentro de uma metodologia que desenvolvi para dar treinamentos. Estou falando do método M.A.R.C.A.

Muitos empresários costumam confundir esse termo com o logotipo de uma empresa. No entanto, o conceito de M.A.R.C.A. é muito maior. Trata-se de uma fórmula que criei, depois de muitas pesquisas, muitos estudos e aplicações práticas em mais de dez anos de trabalho na área de coaching.

O método M.A.R.C.A., que pode ser aplicado em apenas 5 passos, foi pensado para quem não gosta de perder tempo. A técnica é de rápida assimilação e proporciona resultados preciosos a todos os empreendedores e trabalhadores autônomos de qualquer nicho de mercado ou área de atuação.

Portanto, se você é dentista, arquiteto, advogado ou exerce sua expertise em qualquer outra profissão de forma empreendedora, talvez possa dobrar o faturamento do seu negócio por meio da construção da M.A.R.C.A., pois a técnica lhe dará novos aportes para atrair clientes, relacionar-se melhor com eles, entre outros.

Essa fórmula também será de grande valia a todos aqueles que desejam construir um empreendimento digital, migrar e/ou expandir seu negócio atual para o mundo on-line.

Vamos ver o significado dessa metodologia?

- **M**irar
- **A**trair
- **R**elacionar
- **C**onverter
- **A**tender

Vou explicar cada um desses 5 passos, e você poderá aplicar essa fórmula, de rápido entendimento e precioso resultado, para empreender no seu ramo de atuação. Esses ensinamentos já foram testados por mim, quando precisei pensar em como tocar meu próprio negócio. Portanto, posso atestar que funciona e possibilita a conquista de muitas realizações profissionais.

Vamos começar pela ação de **Mirar**, que significa observar, estar atento ao que o cerca. E para isso você precisa prestar atenção nas pessoas e entender quem é seu público-alvo, ou seja, seu avatar.

Além disso, é fundamental que olhe para si mesmo e analise seu posicionamento diante do mercado atual. E, para testar a solidez do seu posicionamento, basta responder a 3 perguntas, de maneira direta e com poucas palavras.

- Quem é você?
- Que imagem quer passar?
- Como deseja ser apresentado/reconhecido?

É preciso ter clareza a respeito de algumas questões primordiais para descobrir se você já tem uma imagem bem construída ou se precisa rever atitudes, estratégias e comportamentos!

Imagine que está dentro de um elevador e só tem um minuto para dizer rapidamente quem você é e o que faz. É com essa sensação de limite de tempo que você deve responder às 3 perguntas que acabei de lhe apresentar.

Se as respostas não fluíram de maneira direta, rápida e em frases curtas, é sinal de que você tem conduzido seu posicionamento apenas na base da intuição. E esse é o momento de parar, refletir e mirar em direção a ele, ou seja, olhar com mais atenção e precisão de foco. Seja meticuloso!

Passando para o segundo ponto de abordagem da técnica de Mirar, depois de fortalecer seu posicionamento, é preciso que você saiba qual é seu nicho de mercado, que, nada mais é, do que sua área de atuação. Se você ainda não tem definido seu nicho, eu o aconselho a pensar bem sobre isso, pois é algo que vai definir sua trajetória profissional.

Para quem vai iniciar um projeto empreendedor, a dica é mirar num nicho para o qual você já tem certa habilidade e conhecimentos prévios. Procure avaliar quais são suas expertises e, depois, mergulhe fundo no estudo de cada uma das possibilidades de negócio que elas podem gerar a fim de identificar qual é a mais vantajosa.

Se, porém, você já está no ramo autônomo ou corporativo, deve fazer uma análise sobre a forma como vem administrando seu empreendimento. Às vezes, as pessoas estão em determinado nicho e não conseguem chegar a bons resultados e, quando mudam para outro nicho, no qual possuem mais habilidades e expertises para atuar, além de ter mais prazer nessa outra função, acabam conquistando o sucesso.

Vale ressaltar a relevância de também lembrar, além de ter um nicho bem definido, que existem subnichos que podem tornar seu produto, serviço ou atendimento mais particular e personalizado ainda. Por exemplo, você pode ser um advogado da área do Direito Civil com expertise em direito familiar e especialista em testamento e herança.

Quando desenvolvemos uma habilidade extra, voltada a um subnicho, estamos aumentando a possibilidade de ganho, pois quanto mais específica for a nossa capacitação, menor será a concorrência, visto que poucos profissionais ou empresas vão oferecer essa mesma especialidade profissional.

Diante de tudo que já foi exposto, seguem 3 perguntas que vão lhe ajudar na escolha assertiva do seu nicho:

- Você gosta do que faz?
- Você é bom nisso?
- Isso é rentável?

O terceiro ponto da técnica de Mirar é o estudo do seu avatar, que costumo chamar de "cliente ideal". São pessoas dispostas a pagar para aprender aquilo que você tem expertise para ensinar. Geralmente, elas são movidas por um problema, uma dor na vida delas. O cara que perde uma vaga de emprego porque não sabe falar inglês acumula essa dor dentro da mente e, mais cedo ou mais tarde, quando chegar até ele uma oferta que o ajude a resolver essa questão, ele vai pagar para ter aquilo.

Quando você identificar seu avatar, trace um perfil mais aprofundado dele listando idade, local onde mora, sexo, classe social e área de atuação profissional. Com essas informações você vai segmentar seu público-alvo, pesquisando os problemas e as dores dele e entendendo do que ele precisa para viver bem e feliz.

Busque compreender quais são as coisas que seu avatar mais valoriza. É a família? A religião? A fama? O status? O dinheiro? A aparência física? Existe uma série de outras questões que possibilitam o conhecimento do seu público-alvo, como:

- Quais são as metas dessa pessoa?
- O que ela mais deseja alcançar?
- Quais são os objetivos?
- Quais são seus maiores pesadelos?
- Quais são seus sonhos?

Essas e outras perguntas, quando aplicadas num questionário, podem levá-lo a uma intimidade essencial com seu avatar, e esse será o seu diferencial na hora de oferecer qualquer coisa para ele. Você será a pessoa que entende de verdade o que acontece com ele, e uma relação de confiança passa a ser estabelecida.

Portanto, quando você determinar o nicho no qual vai trabalhar e definir seu avatar com profundidade, sua ação de **Mirar** estará completa. Feito isso, seguimos para o segundo andar da metodologia M.A.R.C.A: **Atrair**.

Essa etapa vai exigir de você bastante persistência. Atrair as pessoas não é tarefa fácil num mundo onde anúncios e ofertas costumam nos bombardear a todo instante. Portanto, para não se tornar apenas mais um, tente ser diferente, destaque-se, busque seu avatar de uma forma inédita.

Você deve estar se perguntando: "Contudo, como fazer isso na prática?". Bem, posso lhe dar várias dicas preciosas nesse quesito. A primeira delas é: descobrir onde está seu avatar e que tipo de tecnologia ele usa. Seu público-alvo pode estar numa igreja, num shopping center, numa escola, porém uma coisa é praticamente certa: apesar de essas pessoas frequentarem alguma "tribo" no "mundo off-line", acredito que 80% delas também estão no mundo on-line.

Seu desafio, então, é desvendar que redes sociais essas pessoas estão usando. E também: de onde acessam a internet? Tecnologia móvel, notebook ou desktop? E mais: em que horário essas pessoas ficam on-line? O que elas pesquisam no Google? Que sites elas costumam visitar? Será que frequentam fóruns na web? Possuem blogs?

Se você conseguir mapear os passos do seu avatar, com certeza poderá chegar mais perto dele com uma abordagem diferenciada e certeira. Isso será fundamental quando você for criar e divulgar seus anúncios, por exemplo, dentre outras coisas.

Minha segunda dica para atrair seu avatar é trabalhar com iscas digitais para a construção de uma lista de e-mails voltada à especificidade do seu nicho, ou seja, ter o contato das pessoas que estão interessadas no que você tem a dizer e nos seus infoprodutos.

Iscas digitais são pequenas amostras gratuitas que você disponibiliza na internet a fim de expor ao seu público aquilo que você tem a oferecer. Por exemplo: você publica um vídeo que ensina as pessoas a começar a resolver a dor delas, a dar um primeiro passo em direção a uma solução. Aquela dica vai funcionar e elas vão, automaticamente, buscar na internet mais coisas sobre você, porque estão à procura de seguir seus outros passos. Lembrando-se de que a isca também pode ser um minicurso, um e-book, um artigo em PDF, uma videoaula, um webnário já gravado, entre outras coisas.

Indo mais além, ainda na forma de Atrair, uma ação importante é: gerar tráfego! Para isso, eu lhe indico o uso de ferramentas como o Search Engine Optimization, que vai lhe ajudar a "ranquear" no Google. E também recomendo, pensando num investimento em curto prazo, o Pay Per Click, que também pode gerar bons resultados para o seu negócio. Utilizando essas e outras ferramentas do marketing digital, você consegue fazer anúncios em *banners*, *displays* etc.

E vale salientar que, às vezes, a tática de pagar para ter o disparo de e-mails de terceiros pode ser recompensadora e aumentar sua audiência consideravelmente em pouco tempo. O portal <http://www.administradores.com.br> trabalha com esse tipo de ação! Vale a pena pesquisar como eles atuam.

Depois dessas dicas que acabei de dar, cabe a você arregaçar as mangas e começar a agir. Mirar e Atrair são passos essenciais para a construção da M.A.R.C.A. Passadas essas 2 etapas, o processo de trabalho entra num estágio mais avançado, e você mergulha na aplicação do terceiro passo desse método, **Relacionar**.

Você começa essa ação através da sua Lista. As mensagens enviadas não devem primeiramente oferecer produtos, pois as pessoas já recebem muita propaganda e anúncios indesejáveis na caixa postal, e você corre o risco de ser deletado ou malvisto por seu avatar.

Portanto, ao disparar um e-mail, ele precisa ter um conteúdo que agregue valor à vida das pessoas. Pense que elas desejam abrir a caixa postal e encontrar uma solução para as suas dores, e não uma oferta de venda. E, a partir do momento em que você envia algo que ajuda essas pessoas, elas se tornam gratas e passarão a aguardar pelos seus próximos e-mails com alegria, pois sabem que você está ali para auxiliá-las em algo que afeta a vida delas.

Isso é se relacionar. É um trabalho de formiguinha que lhe dará credibilidade e autoridade para, posteriormente, oferecer algo que seu avatar, com certeza, vai comprar.

Muitas pessoas, ao aplicar a técnica do relacionamento, esbarram numa dificuldade: a criação de conteúdo. Você precisa produzir uma série de materiais informativos para ter um bom acervo e alimentar a sua Lista. Estou falando de vídeos, artigos escritos, webnários, entre outros. É muito importante que você tenha em mente o seguinte: o relacionamento sólido só é construído a partir de algo que seja relevante e útil para seu avatar.

Imagino que a esta altura você esteja morrendo de vontade de me perguntar: "Mas, Bruno, como consigo fazer um conteúdo útil e relevante?". Muita gente tem essa dúvida e me procura para receber conselhos e dicas a respeito. Costumo dizer que o segredo está em conhecer profundamente as necessidades, os valores, as metas, os objetivos, os desejos, os problemas, os pesadelos e os sonhos do seu avatar. É partir desse conjunto de informações que você vai elaborar um material educativo e atraente para as pessoas.

Partindo desse conteúdo produzido, o relacionamento começa com o envio dos e-mails para sua Lista e, durante esse processo, você começa a se sentir gratificado. A primeira sequência de e-mails programados leva as pessoas a resgatar a isca digital que você preparou, e, com ela, nasce um elo de confiança que sua audiência passa a estabelecer com você.

Alguns dias depois, um novo e-mail é enviado com um bônus em forma de conteúdo informativo. Ou seja, aquela pessoa começa a se aprofundar naquilo que você tem para ensinar. E uma dica interessante, nessa etapa, é disponibilizar um contato pessoal de e-mail para que o seu avatar possa lhe escrever e tirar dúvidas, porque essa atenção especial que você oferece vai estreitar ainda mais seu relacionamento com o público-alvo.

Passados mais alguns dias, talvez tenha chegado o momento de fazer uma oferta. Esse termômetro quem vai lhe dar é o próprio avatar. Costumo comparar as táticas de uma paquera amorosa com esse relacionamento que o marketing digital propõe, ou seja, você só vai beijar a garota (ou o rapaz) com quem está saindo se receber sinais de que é o momento. Portanto, perceba com sensibilidade as reações do seu avatar ao receber as sequências de e-mail e, quando sentir que ganhou terreno e que é a hora certa, faça a sua oferta.

Depois disso, é chegado momento de **Converter**! Nessa etapa, você vai aprender a "precificar" seus produtos e serviços. Ou seja, colocar um valor monetário para todo o conteúdo que você possui e deseja vender de maneira que construa uma oferta irresistível.

Sempre digo que um bom empreendedor digital precisa aprender a elaborar sua oferta irresistível de maneira criativa e sedutora. Essa dica vale também para quem trabalha como afiliado.

Por exemplo, já fui afiliado do Erico Rocha e do Gerônimo Theml e uma das táticas que aplicava para deixar uma oferta ainda mais irresistível era agregar bônus aos bônus do produto que eu estava promovendo, unindo forças e audiências numa tacada só.

Depois do processo de conversão, você alcançará a etapa final que é o **Atendimento**. Estou falando de uma ação que vai causar uma transformação na vida do seu cliente. Isso ocorre a partir do momento em que ele começa a resolver a dor dele, o grande problema que o afligia, seguindo seu método de ensino.

Esse é o momento em que você passa a gerar resultados para seu avatar, e uma das dicas é entregar a ele mais do que você prometeu. Ou seja, deixá-lo mais do que satisfeito, impressioná-lo.

Quando você está atendendo, meu conselho é oferecer um tratamento especial para o seu cliente – afinal, ele confiou em você e comprou seus produtos. Não cometa o erro de colocar essa pessoa novamente no ciclo de relacionamento. Faça mais e melhor: crie um novo ciclo, de relacionamento privilegiado, em que ela possa se sentir especial e se fidelizar ainda mais a você.

Uma coisa eu garanto, fidelizar um cliente é mais importante do que conquistar um cliente novo. E, para que as duas coisas aconteçam, é fundamental e certeiro aplicar um método campeão na hora de construir a sua M.A.R.C.A. Portanto, agora que você já sabe, comece a aplicar esses ensinamentos e seu negócio digital dará um salto triplo em qualidade, números e velocidade de resultados. E, com isso, todo mundo ganha: você, seu avatar, seus parceiros e eu, que tenho o maior prazer em passar adiante algo que me ajudou muito na minha trajetória profissional.

Agora é com você, mãos à obra!

Lições Aprendidas

Método M.A.R.C.A. (Mirar, Atrair, Relacionar, Converter, Atender)

Mirar: observar o que o cerca, prestar atenção nas pessoas e entender seu avatar (público-alvo)

As 3 perguntas para verificar seu posicionamento:

1. Quem é você?
2. Que imagem quer passar?
3. Como deseja ser apresentado/reconhecido?
    - Se as respostas não estiverem claras, diretas, em frases curtas, é preciso parar, refletir e colocar foco em deixar claro o posicionamento.

As 3 perguntas que vão lhe ajudar na escolha assertiva do seu nicho:

1. Você gosta do que faz?
2. Você é bom nisso?
3. Isso é rentável?

Identifique seu avatar:

- Idade, local onde mora, sexo, classe social e área de atuação profissional.
- Aprofunde seu conhecimento do seu avatar identificando os problemas e as dores dele e entendendo do que ele precisa para viver bem e feliz.
- O que o avatar mais valoriza: família, religião, fama, status, dinheiro, aparência física?
- Outras perguntas fundamentais sobre o avatar:
    - Quais são as metas dessa pessoa?
    - O que ela mais deseja alcançar?
    - Quais são os objetivos?
    - Quais são seus maiores pesadelos?
    - Quais são seus sonhos?
- Entenda profundamente a verdade sobre seu avatar para poder estabelecer com ele uma relação de confiança.

Atrair: para não se tornar só mais um, tente ser diferente, destacar-se, buscar o avatar de forma inédita.

- Dicas para atrair o avatar:
  - Descubra onde ele está e a tecnologia que usa.
  - Use iscas digitais para construir a Lista voltada à especificidade do seu nicho.
    - Iscas entregam ao avatar uma solução para um de seus problemas ou ao menos o primeiro passo para a solução completa.
    - Iscas podem ser vídeos, minicursos, e-books, artigos em PDF, videoaulas, webnários, entre outras.
  - Ação importante para atrair o avatar: gerar tráfego.

Relacionar: gerar engajamento e vínculo de confiança.

- Não devem ser oferecidos produtos de imediato, mas sim conteúdo que agregue valor à vida das pessoas. Elas ficarão gratas, e isso dá credibilidade e autoridade.
- O relacionamento começa com o envio de e-mails para a sua Lista.
- No nosso jargão, quando o relacionamento estiver mais quente (mais estreito), então é chegada a hora de fazer uma oferta de produto.

Converter: transformar o prospecto em cliente através de uma oferta irresistível (aquela que o avatar não consegue recusar).

- Oferta irresistível é aquela em que o valor percebido é muitas vezes maior do que o preço cobrado pelo produto.

Atendimento: momento de transformação na vida do cliente.

- Dica: entregar mais do que o prometido. Deixar o cliente mais do que satisfeito. Impressioná-lo! A pessoa precisa se sentir especial.
- Fidelizar um cliente é mais importante do que conquistar um cliente novo.

Mais um capítulo completo! Agora entre no **www.conaed.com.br/negociosdigitais-brunojuliani** e acesse o bônus deste capítulo. E também o bônus sobre Como Construir uma Oferta Irresistível. ■

CAPÍTULO 6

OS 3 PASSOS PARA QUE VOCÊ TRANSFORME SEU CONHECIMENTO EM PRODUTO

Ricardo Piovan

Sabia que o conhecimento que você já tem pode ser muito lucrativo? Pois bem, essa é a especialidade de nosso próximo coautor, Ricardo Piovan. Ele é um palestrante muito requisitado no Brasil, autor dos livros *Liderança: o livro do líder completo* e *Resiliência: como superar pressões e adversidades no trabalho*. Além disso, é o criador do programa Experts Training. O Ricardo foi convidado para este livro porque, assim como ele, também acredito que você tenha conhecimento (expertise) que pode virar produtos de grande valia para transformar as pessoas. E mesmo que você queira iniciar em uma área em que não tenha expertise, o empreendedorismo digital lhe abre as portas para que se dedique a um nicho inteiramente novo, caso assim o deseje, e colha ótimos frutos em um curto intervalo de tempo. Neste capítulo, Ricardo Piovan vai reforçar alguns pontos importantíssimos também ressaltados pelo Bruno Juliani. Essa é sua oportunidade de consolidar esses pontos essenciais em sua mentalidade. Quer saber qual expertise vale a pena você usar? Então acompanhe.

ALAN PAKES

Você já pensou que existe algo que você conhece bem, muito bem, e que tem uma porção de gente que adoraria aprender o mesmo? Acredito que todo mundo tem um conhecimento, uma expertise, uma história de vida que abrange lições incríveis para um monte de gente que não possui essa vivência.

A partir disso, desenvolvi um método chamado Expert Training, no qual ensino as pessoas a identificar uma expertise/um conhecimento e transformar isso em produtos altamente lucrativos com grande margem de vendas pela internet.

Se você está aí pensando: "Isso seria ótimo se eu tivesse algum grande conhecimento genial para ensinar para alguém, mas não tenho".

Posso lhe garantir que você tem uma expertise para trabalhar, sim! E, aliás, não somente uma, mas várias! Sabe, um dia desses, eu estava dando um treinamento de liderança em uma grande empresa, e, no intervalo, um dos participantes – líder da segurança daquela organização – disse-me o seguinte: "Nossa, Ricardo, li um pouco a respeito do seu programa Expert Training e fiquei pensando que seria muito bom se eu conseguisse pegar o meu conhecimento de segurança e transformar em produtos".

E comentei com ele: "Olha, você deve dominar bem o tema da segurança, e acredito que tenha várias dicas para dar a uma porção de pessoas que se preocupam com isso, mas não sabem que cuidados devem tomar. Por exemplo: que precauções devemos tomar quando chegamos de carro no nosso prédio/nossa casa? E com relação à segurança de nossos filhos, quando eles resolvem sair para uma balada?

Ele ficou pensativo, e continuei: "Há uma série de dicas e orientações que você pode reunir, transformar em produto e empacotar para venda. Você pode empacotar no formato e-book, treinamento on-line, videoaula, entre outros. Tenho certeza de que muita gente vai comprar esse produto".

Quando eu disse isso, os olhos dele brilharam, pois, de repente, ele se deu conta de que poderia usar sua expertise em outra linha (a segurança das pessoas físicas) e ganhar dinheiro com o know-how que já possui e estava sendo direcionado somente para a segurança corporativa (empresas).

Então, eu o alertei para um fato real: as pessoas, de modo geral, têm uma tendência a comprar produtos capazes de resolver seus problemas. Portanto, se a pessoa tem um problema e você desenvolve um produto para resolver esse problema, ela provavelmente se sentirá atraída por adquirir o que você está vendendo.

Imagino que neste ponto da leitura as coisas já começam a fazer mais sentido para você, porém também acho que ainda não ficou claro como você pode descobrir sua expertise, como fazer um e-book, como fazer com que as pessoas o comprem etc.

Todas essas dúvidas são naturais, e neste capítulo você vai entender como essa metodologia funciona.

A partir de agora, vou apresentar 3 passos para que você possa entender, de maneira resumida, como é possível montar seu negócio on-line. São eles: Posicionamento, Relacionamento e Oferta de Vendas! Vamos lá?

Os 3 passos para iniciar seu empreendimento digital segundo o método do Expert Training:

1. Posicionamento

O Posicionamento se divide em 3 etapas: identificar a expertise a ser trabalhada; escolher o formato do primeiro produto a ser empacotado para venda e produzir uma mensagem escrita que seja persuasiva e conquiste as pessoas.

Identificando a expertise

É bem provável que você tenha vários conhecimentos que poderiam ser desenvolvidos e transformados em produtos, portanto, para facilitar essa seleção, você deve levar em conta uma expertise que atenda a 3 quesitos: algo pelo qual você tenha paixão ou que goste muito de fazer; algo que você tenha habilidade para realizar e, por último, algo que possua viabilidade financeira no mercado.

A paixão é importante porque, provavelmente, você vai trabalhar com esse produto por um longo tempo. E você não pode acordar de manhã e pensar: "Nossa, vou ter de falar sobre aquilo, montar produtos, ter ideias, que saco!".

Isso não pode acontecer, ou seu negócio pode ir por água abaixo! Você tem de acordar de manhã e dizer: "Vamos lá, vamos fazer! Vamos para cima!". Então, tem de ser algo pelo qual você seja realmente muito apaixonado.

A habilidade, que é o segundo pré-requisito, é fundamental! Se você não tiver habilidade, como vai ensinar outras pessoas a fazer algo? Não dá! Portanto, além de verificar o nível de paixão pela sua expertise, pergunte-se honestamente: "Tenho habilidade para ensinar isso a alguém?".

Quando você conseguir encontrar um ponto comum, ou seja, um conhecimento que possui, pelo qual tem paixão e habilidade para praticá-lo, ele será a sua expertise ideal para desenvolver e trabalhar!

Agora, será que sua habilidade, aquela pela qual tem paixão, possui viabilidade financeira? Nesse quesito, é preciso promover uma investigação que envolva pesquisa de mercado, de público-alvo e mais uma série de particularidades que ensinamos detalhadamente no programa Expert Training.

Seria impossível discorrer em apenas um capítulo sobre todo o estudo que pode ser feito a fim de chegar ao ponto da viabilidade financeira, mas vou lhe dar duas dicas preciosas para que consiga obter alguns resultados significativos em seu processo de sondagem a respeito da lucratividade de sua expertise.

A primeira é a seguinte: acesse a ferramenta de buscas do Google e coloque algumas palavras-chave referentes ao tema de sua expertise. Verifique se existem outras empresas ou pessoas que vendem esse tipo de produto que você deseja produzir.

Se você encontrar anúncios do GoogleAds e descobrir que já tem um monte de gente vendendo isso, esse é um indício de que existe viabilidade financeira para o seu ramo de atuação. Afinal, se existem empresas e profissionais autônimos que pagam para estar no Google, é porque estão tendo retorno em seus negócios.

E para driblar essa concorrência que já existe você deve se propor a criar algo diferenciado, um produto matador, daqueles que vão deixar os concorrentes irrelevantes.

E a segunda dica para verificar a viabilidade financeira de uma expertise é analisar os sites de grandes veículos de comunicação, como o da revista *Veja*, por exemplo. Pesquise os 20 livros mais vendidos na atualidade.

Por exemplo, vamos supor que você trabalhe com autoajuda. Nesse caso, você deve procurar saber se o seu tema aparece no ranking dos livros mais vendidos. Em caso positivo, isso é um indício forte de viabilidade financeira. Pense que quando as editoras lançam um livro no mercado, elas não fazem isso à toa, ou seja, já foi feita uma pesquisa de rentabilidade para que aquele assunto fosse abordado numa obra e publicado.

#Escolhendo o formato do seu primeiro produto

Existe uma série de opções de produtos que podem ser produzidos a partir de sua expertise: livros impressos, e-books, palestras presenciais ou on-line, webnários, treinamentos, videoaulas, programas de coaching, entre outros.

A dica é escolher o "veículo" com o qual você se sente mais confortável para atuar. Existem pessoas que gostam de falar em público, do contato ao vivo, já outras preferem falar para a câmera, em casa, sem plateia física.

Há também quem prefira a escrita e opte pela produção de um e-book inicialmente, para depois partir para um webnário, por exemplo.

No meu caso, eu tinha uma expertise em liderança e comecei dando treinamentos presenciais; depois, criei um treinamento on-line e fui trabalhar a intimidade com câmeras, edição de vídeo etc. Na sequência, empacotei de 3 formas esse meu conhecimento: webnários, palestras on-line e e-book.

Para aqueles que ainda temem a aparição na internet, costumo desmistificar isso explicando que é tudo muito simples: basta colocar uma câmera na mesa da sua sala e começar a falar. No programa Expert Training, temos aulas só para ensinar as pessoas a trabalhar com câmera, fazer apresentação de palco, entre outros tipos de apresentações. O segredo é "descomplicar" as coisas e partir para a ação! É melhor o "feito" do que o "perfeito".

#Criando uma mensagem persuasiva

Não adianta nada ter um produto matador e não saber divulgá-lo de maneira arrebatadora! Vejo muita gente que oferece produtos pela internet – artigos como e-books, palestras, treinamentos, entre outros. Contudo, geralmente o que encontro são textos maçantes, vídeos monótonos ou chatos de assistir.

E quando o consumidor se depara com esse tipo de divulgação é provável que não se sinta tão estimulado a fazer a compra ou, mesmo que a realize, só o fará uma vez! E ainda há os que adquirem o produto on-line e depois enviam um e-mail para pedir o estorno do valor, pois não ficaram satisfeitos.

Então, para evitar esse tipo de situação, você precisa criar uma mensagem persuasiva o suficiente para que as pessoas fiquem hipnotizadas e, dessa forma, sintam-se inspiradas a comprar "a sua ideia", ou seja, mergulhar no seu método e praticá-lo de verdade, com garra, acreditando que aquelas técnicas vão realmente ajudá-las naquilo que estavam buscando quando se encantaram pelo seu produto.

A partir do momento em que você consegue fazer isso – influenciar as pessoas de tal maneira que elas executem os passos do seu produto até o final – as dores de cabeça acabam! Digo isso porque seu cliente vai melhorar a vida dele, vai se sentir satisfeito e animado ao perceber que a compra valeu a pena, visto que o produto realmente funciona. Por consequência, vão acontecer duas coisas: ele vai querer adquirir outros produtos seus e, o melhor de tudo, ele vai divulgar seu trabalho para os amigos, os familiares e os colegas de trabalho com um entusiasmo contagiante.

Portanto, você precisa começar a construir essa realidade criando uma mensagem persuasiva que deixe as pessoas hipnotizadas. Elas precisam ficar curiosas para conhecer seu produto e motivadas a saber mais sobre aquilo que você está se propondo a falar.

Pensando nisso, preparei um roteiro campeão que você vai poder seguir para montar uma mensagem poderosa e sedutora (escrita ou em vídeo) a fim de despertar a atenção das pessoas.

Esse roteiro, que detalhamos mais no programa Expert Training, tem base nos seguintes passos:

1. Iniciar falando sobre desejos comuns ao seu público-alvo

Procure entender quais são os sonhos do seu avatar e também quais são os maiores problemas que ele precisa resolver no trabalho ou na vida pessoal dele. Digo isso porque existem pessoas que desejam realizar sonhos e existem pessoas que ainda não conseguem sonhar porque estão mais preocupadas em parar de sofrer, ou seja, encontrar uma solução para seus problemas.

Por exemplo, se você inicia uma mensagem dizendo: "Tenho certeza de que você gostaria de chegar um pouco mais cedo na sua casa durante a semana. E imagino que deseje ter uns quinze dias livres para viajar e aproveitar a vida sem ter medo de perder seu emprego...". Nesse ponto da mensagem (seja escrita, seja falada), a pessoa já está lhe acompanhando com atenção.

A partir daí, ela começa a se hipnotizar pelo seu conteúdo porque na cabeça dela pisca um letreiro que diz: "Esse cara vai me oferecer alguma coisa diferente e especial que pode resolver meu problema? Contudo, será que ele sabe quais são meus problemas de verdade?".

2. Citar os problemas de quem busca seu produto

Nesse momento, comece então a discorrer sobre os problemas que seu avatar provavelmente tem. Recomendo que você faça uma lista com as 3 principais dores dessa pessoa no trabalho dela, por exemplo (isso pensando que seu produto tem a ver com melhorias no ambiente de trabalho como gestão do tempo, entre outros).

Sua mensagem poderia citar algo como: "Talvez você esteja lidando com pessoas que só lhe trazem problemas no seu ambiente de trabalho. Ou pode ser que seu chefe fique ligando para você para reclamar do mau desempenho no seu departamento. Há também aquele tipo de situação em que o cliente o procura ou lhe manda e-mails com uma série de insatisfações e cobranças...".

Nesse momento, a pessoa começa a balançar a cabeça em sinal afirmativo, mesmo que saiba que você não está diante dela de maneira presencial. E isso acontece quando nosso avatar se deixa envolver pelo que está lendo ou escutando.

3. Contar uma história que envolva o tema do seu produto

Aqui, você deve inserir uma pequena história que diga que você ou alguém que conhece também passou por tudo isso, mas hoje está com o problema resolvido!

Seu avatar vai pensar: "Nossa! Estou passando por essas mesmas coisas! Esse cara está lendo a minha mente?". E, dessa forma, ele começa a se engajar no que você está narrando e no que vai propor na sequência.

4. Citar soluções para os problemas no formato passo a passo

Comece a citar possíveis soluções para que seu avatar passe a entender tudo o que seu produto poderá proporcionar a ele. Divida as dicas por etapas (ou passos) para que ele compreenda que seu método pode funcionar na prática.

No entanto, tome cuidado para não "entregar demais", afinal, a sua mensagem deve ser persuasiva, e não didática! É aquele velho ditado popular: contamos o milagre, mas não revelamos o nome do "santo".

5. Citar obstáculos que vão aparecer, mas que são possíveis de superar

Destaque dois obstáculos que as pessoas vão encontrar durante o uso do produto, ou seja, as dificuldades que podem surgir durante a prática do passo a passo que você está sugerindo que elas façam.

Em seguida, conclua sua mensagem com palavras que sirvam como motivação e combustível para que as pessoas se animem a dar "o primeiro passo"!

E, assim, você terá criado uma mensagem poderosa e persuasiva que vai servir para divulgar um produto diferenciado que tornará seu concorrente irrelevante!

2. Relacionamento

Depois que o produto já estiver criado, é natural que você pense: "O trabalho está feito! Agora é só vender!". Entretanto, ainda não é hora para isso. Muitos empreendedores aceleram o passo e acabam não obtendo o retorno financeiro esperado.

Não adianta começar a encher a caixa postal das pessoas com e-mails do tipo: "Compre aqui", "Promoção imperdível", "Clique agora". Se as pessoas não o conhecerem, elas vão simplesmente deletar suas mensagens e não vão comprar nada.

O segredo de um resultado de sucesso em vendas é criar um relacionamento com o público-alvo antes de oferecer qualquer oferta. Você precisa se tornar conhecido, construir uma relação com as pessoas, conquistar a confiança delas, e aí, sim, é chegado o momento de propor a venda.

Recomendo que aqui você comece fazendo um blog e postando lá suas mensagens, seus vídeos e artigos persuasivos (conforme o roteiro que foi apresentado anteriormente).

Dessa forma, você vai enviar e-mails que contêm links para esse material exposto no blog. As pessoas vão receber seus e-mails e ter acesso ao conteúdo que você está oferecendo, a fim de que possam conhecer um pouco do seu trabalho.

Certa vez, por exemplo, eu enviei uma mala direta de e-mails com o título "Como abrir um negócio: duas formas incrivelmente simples de começar uma empresa com pouco dinheiro". Tratava-se de um vídeo com cinco minutos de duração em que eu dava os passos para alcançar o objetivo mencionado.

Recebi muitas mensagens do tipo: "Nossa, que legal!". E, com isso, comecei a construir a minha autoridade no tema da minha expertise. Meus ensinamentos passaram a grudar na cabeça das pessoas, e meu nome já não era mais um desconhecido na caixa postal delas.

Ou seja, o blog (ou site) é a central que armazena os conteúdos que você vai usar para a construção do relacionamento. E as postagens podem ser disseminadas não só por e-mail, mas também através do Facebook, do LinkedIn, do Twitter e de outras ferramentas/plataformas que estiverem à disposição.

E quando você se torna conhecido e cria sua autoridade, aí, sim, você pode falar: "Compre meu produto. Lembra-se daquele artigo? Agora tenho uma coisa com mais detalhes para você. Agora vou pegar na sua mão e ajudá-lo a passar por aquelas etapas".

3. Oferta de venda

Existem várias maneiras de construir uma máquina de vendas. A primeira, que já vimos, é começar a vender durante o relacionamento com o público-alvo.

A segunda é criar um caminho on-line para vender seu produto através de quatro páginas na internet. Por exemplo: você entra no Facebook e faz um anúncio na barra lateral reservada para propagandas. As pessoas clicam e vão para a primeira página que você construiu, chamada de Squeeze Page, que serve para capturar o endereço de e-mail dos visitantes. Em geral, nelas você encontra mensagens do tipo: "Quer ouvir falar sobre como criar um produto? Cole seu e-mail aqui". Isso é uma Squeeze Page, a primeira etapa do caminho de vendas.

Ao inserir o e-mail, a pessoa é encaminhada para a segunda página, que é uma oferta (escrita ou em vídeo) com um botão "Quero comprar" embaixo. Essa é a página de oferta.

Depois, a pessoa é direcionada para a terceira página (quando ela clica no botão "Quero comprar"). Nela, há um sistema de pagamento, um local para colocar o número do cartão de crédito ou imprimir o boleto bancário para pagamento, entre outros.

Quando o pagamento on-line é aprovado, o comprador chega à quarta página, na qual encontrará uma mensagem de agradecimento e algumas instruções de como receberá seu produto, geralmente por e-mail.

Vale ressaltar que existem outras máquinas de venda, como as parcerias com os afiliados, por exemplo, sobre as quais você deve encontrar informações mais detalhadas em outros textos que compõem este livro. Aliás, nestas páginas, temos a presença de vários experts que começaram a carreira seguindo justamente esses 3 passos iniciais que acabei de relatar.

Estamos chegando ao final do nosso capítulo e agora você tem em mãos – e na mente – algumas técnicas, dicas e orientações preciosas. Vamos recapitular:

- Primeiro passo: construir um posicionamento diferenciado, decidir por onde vai seguir e pensar numa mensagem poderosa que possa cativar as pessoas. Criar um produto que torne a concorrência simplesmente irrelevante.
- Segundo passo: saber se relacionar com seu público através de textos persuasivos, vídeos que agreguem valor à vida das pessoas e outros canais de acesso nos quais você possa sempre manter uma conexão com seu avatar. Fazer com que esse cliente ideal se encante com seus conhecimentos e passe a lhe acompanhar em cada nova postagem, publicação etc.
- Terceiro passo: apresentar de maneira inteligente e perspicaz uma oferta de venda para seu avatar. Lembrando-se de que isso pode ser feito com a criação de uma página atraente que usa como chamariz um vídeo, um artigo com dicas, um míni e-book, enfim qualquer canal pelo qual você possa se comunicar e dizer sutilmente: "Agora que você já conhece meu conteúdo e confia no que eu falo, que tal aproveitar esta oferta e comprar meu produto?".

Lições Aprendidas

Muitas pessoas não sabem, mas dentro delas há expertises que podem ser muito lucrativas.

Você deve desenvolver produtos para resolver os problemas das pessoas.

Os 3 passos para montar seu negócio on-line: posicionamento, relacionamento e oferta de vendas

Posicionamento (em 3 etapas)

a) Identificar sua expertise. É preciso atender aos requisitos: paixão, habilidade e viabilidade financeira

- Indícios de viabilidade financeira: vários anunciantes no Google que vendem produtos semelhantes; o tema está aparecendo nas listas de livros mais vendidos

b) Escolher formato do primeiro produto a partir de sua expertise: livro impresso, e-book, palestras presenciais ou on-line, webnário, treinamento, videoaula, programa de coaching, entre outros.

- Dica: escolha o "veículo" com o qual você se sente mais confortável para atuar.

c) Criar uma mensagem persuasiva. Não adianta ter um produto matador se não souber divulgá-lo.

- A mensagem persuasiva deve inspirar as pessoas a comprar sua ideia, mergulhar no seu método e praticá-lo de verdade e com garra.

Passos para a mensagem persuasiva:

1. Iniciar falando sobre desejos comuns do público-alvo
2. Citar os problemas de quem busca seu produto
3. Contar uma história que envolva o tema do seu produto
4. Citar soluções para o problema no formato passo a passo
5. Citar obstáculos que vão aparecer, mas que são superáveis
6. Concluir a mensagem com palavras motivadoras e que são combustível para as pessoas darem o primeiro passo.

Caminho on-line para vender produtos pela internet através de quatro páginas:

1. Squeeze page (página de captura): utilizada para construir a Lista
2. Página de oferta: onde é colocada a oferta por escrito ou em vídeo
3. Página de pagamento: conectada a um sistema de pagamento
4. Página de agradecimento: além do agradecimento em si, a página traz instruções para receber o produto

Fim do capítulo. Portanto, é hora de entregar a você ainda mais conhecimento. Entre agora no **www.conaed.com.br/negociosdigitais-ricardopiovan** e baixe o bônus deste capítulo. ■

CAPÍTULO 7

COMO CRIAR UM NEGÓCIO DE SUCESSO A PARTIR DE UM BLOG

Henrique Carvalho

Agora que já sabe que conhecimento tem muito valor e pode ser muito lucrativo ao organizá-lo de forma que resolva os problemas das pessoas, você vai aprender a construir sua "casa própria" na internet. Ou seja, construir o espaço ao qual você vai atrair os convidados certos para conhecer seu trabalho, que, por sua vez, será apresentado da maneira certa a eles. A sua "casa própria" na internet poderá ser um blog. E, por isso, convidei o maior especialista em blogs do Brasil para contribuir neste livro. Estou falando de Henrique Carvalho, do Viver de Blog: "Viver de Blog, mais que um blog, um estilo de vida". Essas foram as primeiras palavras que li ao acessar o blog do Henrique. Achei maravilhosas, pois a frase realmente personifica o modo de vida do Henrique e também pode ser seu modo de vida. Henrique é uma pessoa muito serena, que leva uma vida plena, simplesmente ajudando as pessoas de forma autêntica. Ele merece todo o sucesso que tem. E neste capítulo ele vai ensinar a organizar o conteúdo do seu blog de maneira que você também possa ter um grande estilo de vida, impactar positivamente as pessoas e ser reconhecido por isso. Pergunto: você também merece um grande estilo de vida? Certamente, sim! Então, com você, Henrique Carvalho.

ALAN PAKES

A era da globalização e o advento da internet têm alterado os rumos do marketing e dos negócios. Essas mudanças são rápidas e dinâmicas. Por isso, entender como funciona o empreendedorismo no mundo digital é essencial para o sucesso.

Muitos acreditam que hoje o caminho mais fácil para alcançar o público é o Facebook e as redes sociais em geral. Entretanto, ao pensar assim, desconsideram um fator de extrema importância que é: quando investimos tudo numa rede social, estamos plantando parte das "sementes" do nosso negócio virtual em um "terreno alugado".

O que quero dizer é que a rede social é uma plataforma da qual você não é o dono, ou seja, você não dita as regras e ainda deve obedecer ao regulamento de uso que alguém criou e que não está necessariamente preocupado com a melhor visibilidade da sua página.

Conheço uma porção de gente que migrou de um site/blog para o Facebook seguindo a lógica de que "Se todas as pessoas do mundo parecem estar conectadas nessa rede, é para lá que eu vou! O Facebook é gratuito, fácil de editar e publicar informações e, teoricamente, parece ser o melhor caminho para uma divulgação em massa".

No entanto, você já notou que o Facebook vive mudando suas políticas de uso, administração e visibilidade das páginas de negócios? E o pior: limita a quantidade de pessoas que terão acesso aos seus posts, para que você se sinta instigado a investir financeiramente a fim de alcançar pessoas que já são suas seguidoras e poderiam ter acesso a todo o seu conteúdo sem que você precise desembolsar um tostão.

Diante disso, vamos fazer uma reflexão importante: imagine que você construiu uma boa audiência, tem se relacionado bem com ela e, com isso, acumula muitas curtidas na sua página. Contudo, de repente, percebe que já não consegue acessar todos os contatos que curtiram a sua página sem pagar por isso – e pagar caro! Isso é um negócio inteligente?

Não podemos reclamar. O terreno é deles. Portanto, as regras também. Assim, meu conselho para quem investe em negócios on-line é a criação de uma "base" própria, ou seja, um espaço em que é possível definir as próprias regras, um "terreno" seu. E aqui estou falando da construção de um bom site ou blog.

As redes sociais devem funcionar como uma forma de gerar tráfego para o seu site. Contudo, montar um empreendimento digital numa plataforma dessas é colocar tudo o que você tem de mais valioso nas mãos dessas poderosas empresas por trás de cada rede.

Como falei anteriormente, a criação de um blog pode ser um caminho empreendedor que lhe dará autonomia e eficácia. E, para afirmar isso, eu me baseio numa série de pesquisas que envolvem coleta de dados de relevância!

Vamos acompanhar alguns deles a seguir:

1. 93% das visitas on-line começam com alguma ferramenta de busca, como, por exemplo, o Google.
2. 75% das pessoas que buscam algo na internet só visualizam as opções dadas na primeira página de resultados de links.
3. 75% das pessoas não acreditam em anúncios, portanto as empresas que utilizam blogs conseguem 97% mais cliques para seus sites do que aquelas que não os utilizam.
4. 92% das empresas adquirem clientes por meio de blogs. Além disso, estratégias com blogs são 62% mais baratas e geram o triplo dos resultados em *leads* (clientes em potencial).

Ou seja, o mundo mudou! Estamos vivendo a era do "novo marketing". Por isso, é importante estar atento e saber se adaptar a todas essas transformações. O conceito do "novo marketing" consiste em atrair as pessoas em vez de tentar "comprá-las". Essa estratégia é chamada de *inbound marketing*.

Em resumo, a tática de empurrar produtos e/ou serviços a qualquer custo de maneira "agressiva" goela abaixo do cliente – a chamada *outbound marketing* – já era. Trata-se de uma prática ultrapassada, ineficaz e constrangedora.

O novo marketing é alimentado por criatividade, talento e esforço, enquanto o velho marketing se orienta por promoções e repetições de anúncios. Uma diferença gritante se vê nos resultados em ambas as ações: o novo marketing é responsável por mais de 90% dos cliques na internet; em contrapartida, o velho marketing corresponde a apenas 10% deles.

Enquanto o velho marketing tenta se basear na criação e no investimento de anúncios patrocinados – daqueles que costumamos ver na lateral das páginas do Google –, o novo marketing apresenta um leque vasto de ferramentas como infográficos, fóruns, notícias, mídia, relações públicas, e-mail, e-books, webnários, Search Engine Optimization (SEO), *podcasts*, boca a boca, vídeos on-line e, claro, o blog onde você pode postar todos esses conteúdos.

Podemos destacar 4 pilares que estruturam o novo marketing:

1. E-mail: a forma mais eficiente de venda on-line.
2. SEO: a estratégia que visa um aumento de acessos orgânicos, ou seja, sem pagar nada de anúncios para receber visitas no seu site.
3. Mídias sociais: uma plataforma em que você pode compartilhar os seus conteúdos para que gerem tráfego. Ou seja, encaminhem pessoas para links onde estão suas bases (seu blog, sua página de inscrição ou vendas etc.).
4. Blog: a essência de qualquer comunicação com o intuito de gerar conteúdos de valor, a fim de conquistar confiança, audiência, notoriedade e autoridade no seu ramo de atuação.

Além disso, o sistema do novo marketing é um funil dividido em cinco partes: planejamento, alcance, ação, conversão e engajamento. Vamos entender como funciona cada uma delas?

O planejamento é a estratégia que definirá os parâmetros para criação de conteúdo; visando sempre o público-alvo, ele tem como objetivo atrair mais clientes ou leitores para seu site. Alcance é a capacidade de atingir novos públicos, como, por exemplo, a divulgação de seus artigos nas redes sociais. Ação é o momento em que seu público vai decidir se vai clicar no seu conteúdo ou não. Conversão é a parte do funil em que você vai converter cliques em clientes. Engajamento é a última fase do funil em que você transforma clientes em seguidores, ou seja, seus verdadeiros fãs, aqueles que vão divulgar seu negócio de forma gratuita.

O grande diferencial do novo marketing é justamente a proximidade e o conhecimento do público a ser atingido. Em vez de caçar novos clientes, você precisa atraí-los ganhando o interesse e a confiança deles para ter sucesso on-line. É sempre uma conquista.

Contudo, não basta criar ou ter um blog, ele deve ser pensado e planejado para atingir bons resultados. Um erro muito comum acontece na elaboração do design ou layout da página. Existem alguns blogs que utilizam mais de 20 ou 30 *banners* para divulgar produtos de afiliados. E o retorno dessa divulgação acaba sendo mínimo.

É importante saber que nós temos apenas oito segundos para que o visitante confie no nosso site, ou tudo estará perdido! Portanto, quando você deixa a página inicial do seu blog repleta de *banners* e anúncios, você perde esse tempo mostrando algo em que provavelmente o seu leitor não está interessado e não passa informações relevantes o suficiente para que ele confie na sua página.

O excesso de informações e opções – mesmo que seja do seu produto – também pode ser incômodo para o leitor. Lembre-se: menos muitas vezes é mais! Não transforme a página inicial do seu site ou blog em uma coleção interminável de *widgets*, imagens, textos, anúncios e *banners*.

> "Design não é apenas o que parece e o que se sente, design é como funciona."
>
> Steve Jobs

Assim, não se esqueça: o design precisa estar aliado à navegabilidade do site no que se refere ao acesso e à assimilação do conteúdo disponibilizado.

Fique atento também à produção desse conteúdo. Artigos curtos, mal escritos, jogados sem critério ou nenhum tipo de valor desabonam seu site. Procure criar guias verdadeiramente completas sobre o assunto do qual está falando. Artigos de 300 palavras não são suficientes para que o usuário confie em você como uma referência em algum tema.

Além disso, seja original, busque apresentar conteúdos diferenciados que poucas pessoas estão dispostas a disponibilizar na internet atualmente.

O seu site ou blog precisa ser o tipo de jardim que, por ser tão bonito, tão bem cuidado e útil, oferecerá as melhores condições para atrair as mais maravilhosas borboletas.

Com conteúdos atraentes e direcionados, as possibilidades são inúmeras, mas vou listar 10 formas de distribuição de conteúdo on-line efetivamente funcionais:

1. E-book: pode ser um conteúdo único ou uma união de diversos artigos em um livro digital.
2. Webnários: palestras on-line, ao vivo ou gravadas.
3. Vídeos: conteúdo gravado geralmente de curta duração.
4. Minicurso on-line: um curso pequeno, em cinco lições, que pode ser oferecido como um conteúdo diferenciado, a fim de atrair o leitor para seu blog.

5. Infográficos: as pessoas não têm tempo para ler tantos artigos, portanto facilite a compreensão de dados mais complexos por meio de um infográfico.
6. Planilhas: ofereça planilhas que auxiliem os leitores a colocar em prática suas orientações.
7. Checklists: uma lista de tarefas simples para auxiliar o leitor.
8. Ferramentas on-line: crie ferramentas de geradores de títulos e análises de sites. Esse é um tipo de conteúdo que pouquíssimas pessoas estão dispostas a produzir ou fazer na internet.
9. Concursos on-line: são muito apreciados pelos leitores e geram engajamento.
10. Produção de aplicativos on-line: meios que auxiliem o leitor e que estejam relacionados com seu tema.

Essas são formas comprovadamente eficientes para a apresentação de um conteúdo atraente e interessante. Recomendo que você comece a praticá-las porque quanto mais material você produzir, melhores elas ficarão. Com a prática, você vai ganhando habilidade, e o processo de criação passa a se automatizar em seu cérebro.

Outra questão que pode gerar algum tipo de bloqueio durante o processo de trabalho dos empreendedores digitais é o velho dilema: "Será que sou igual a todo mundo? Como conseguir um destaque em meio a tantos outros que estão no mercado?".

Precisamos ser honestos aqui. Se você não encontrar uma maneira de "brilhar" ao sol no mar da concorrência, você será apenas mais um no seu nicho de atuação.

Contudo, existe uma solução para isso. Não sei se você já ouviu falar na teoria da vaca roxa. Esse é um termo utilizado pelo escritor Seth Godin em seu livro *Purple cow*, cuja tradução para o nosso idioma se resume em "vaca roxa". Inclusive, recomendo a leitura para todos os que estão na busca por conquistar um espaço nesse novo mundo das oportunidades digitais.

De acordo com o conteúdo da obra de Seth, a vaca roxa representa "a grande sacada", o fator diferencial que transformará seu negócio e o tornará relevante, que fará com que seu site contenha uma proposta de valor única, que impressionará pelo tipo de conteúdo singular que você produz.

A teoria da vaca roxa, que contempla toda essa jornada, pode ser aplicada em várias áreas de atuação e diferentes nichos. Ela é extremamente importante porque moldará a forma como as pessoas vão enxergar seu trabalho como um todo.

E uma das maneiras mais rápidas e efetivas de criar um posicionamento para seu negócio é a hipersegmentação do seu mercado. Ou seja, começar abocanhando os níveis mais baixos desse funil, como veremos logo mais no exemplo que vou dar, tomando como mote o nicho da saúde.

Você verá que a personalização pode ser bem mais atraente do que a generalização. Existem estudos que mostram que 61% dos consumidores se sentem melhores quando uma empresa entrega conteúdos customizados em vez de conteúdos genéricos, por exemplo.

Esse é um dos principais motivos pelos quais você não deve começar um blog ou um site abrangendo um tema muito aberto. No lugar de pensar: "Vou falar sobre saúde!", pergunte-se: "Que assunto na área de saúde eu poderia abordar de maneira inovadora e segmentada?".

Vamos ver alguns exemplos de como chegar a essa resposta:

1ª Etapa: Definir um nicho para desenvolver seu trabalho! Vamos supor que você tenha escolhido o ramo da saúde para atuar. No entanto, tenha em mente que já existem milhares de empresas e profissionais autônomos que falam sobre isso no mercado. Esse é um tema muito aberto, no qual você pode tocar em diversas questões, porém corre o risco de o seu site virar uma tremenda mistura de informações, o que confunde o consumidor mais do que ajuda, além de se tornar um espaço com um conteúdo superficial já abordado por aí há muito tempo. Portanto, tenha consciência de que, nesse momento, após a definição do "grande nicho", você terá de segmentar suas escolhas.

2ª Etapa: Nesse segundo momento, é chegada a hora da primeira segmentação. E para continuar com o exemplo dado, vou trabalhar com a hipótese de que você definiu, dentro do universo de melhorias para a saúde das pessoas, discorrer sobre fitness (ou atividades físicas). Ainda assim, temos aqui um nicho abrangente no qual você pode tentar ser mais específico a fim de alcançar um público bem direcionado. Por isso, precisamos segmentar ainda mais esse mercado conduzindo o foco para um afunilamento. E aqui vou supor que você tenha selecionado a opção de trabalhar com a prática de atividades físicas dentro de uma academia.

3ª Etapa: Você já tem condição de definir um pouco melhor que tipo de público deseja abordar. Dentro das academias, o que mais encontramos são pessoas com idade entre 18 e 45 anos. E, segundo as estatísticas, grande parte delas são mulheres. Temos aqui mais uma descoberta sobre seu campo de atuação, que agora vai se voltar para um posicionamento de quem está falando com mulheres que frequentam academias e têm entre 18 e 45 anos.

4ª Etapa: Agora vem uma pergunta interessante para refletirmos: "Que tipo de mulher queremos alcançar?". Além da idade, podemos encontrar mais detalhes sobre esse avatar. Vamos supor que deseje falar para mulheres que já são mães.

5ª Etapa: Chegamos ao último ponto de afunilamento para definir qual será seu nicho de mercado e avatar. Se estamos falando de mulheres que já são mães, é possível que elas encontrem certa dificuldade em conciliar compromissos de trabalho, tarefas que a maternidade demanda e ainda cuidar da própria saúde. Então, dentro desse raciocínio, descobrimos mais uma informação importante: estamos nos dirigindo a mulheres que possuem um emprego, ou seja, estão na famosa "jornada dupla" de trabalho: mãe e profissional. Você pode parar o processo de afunilamento nesse momento ou especificar ainda mais, definindo seu avatar como mulheres empresárias, na faixa dos 18 aos 45 anos, que já são mães e desejam cuidar da saúde por meio de atividades físicas dentro de academias.

Vale ressaltar que você pode fazer esse exercício de afunilamento até encontrar o ponto em que se sinta mais confortável para investir e desenvolver seu negócio. Quando alcançar um nicho fechado, quase personalizado, em que ainda tenha um bom público para lidar – mesmo após vários níveis de segmentação –, terá chegado ao mote ideal para se destacar perante a concorrência.

Acredito que agora você já esteja muito mais preparado para criar, administrar e rentabilizar um negócio on-line. Contudo, ainda precisa ter acesso aos "5 Passos de Excelência" para garantir uma caminhada de sucesso no mundo digital. Então, vamos a eles:

1º) Seja reconhecido pelo seu conteúdo. Um conteúdo de qualidade faz com que o Google "ame você". E isso vai lhe posicionar melhor nas pesquisas orgânicas, trazendo mais visitas para o seu site.

2º) Seja reconhecido por ser um expert, mas nunca se coloque como "o número um do mercado" em tal ramo. Quem deve falar bem de você são os outros, nunca você. E você só conseguirá fazer isso demonstrando sua habilidade (expertise), e não apenas dizendo e reafirmando "sou o melhor". Essa é uma regra básica do marketing: pare de falar sobre você. Converse, ensine e surpreenda sua audiência. Ofereça algo de grande valor para o seu público e você conquistará confiança e permissão para poder se comunicar com ele.

3º) Seja reconhecido por ser generoso. Não faça algo somente para esperar um favor em troca. Quando você se livra dessa mentalidade, é impressionante a quantidade de retribuições que recebe, além do grande fortalecimento dos seus contatos. O princípio da reciprocidade é poderoso. E as pessoas são muito mais dispostas a ajudar quando você não espera nada em troca.

4º) Seja reconhecido por ser autêntico. Um exemplo de autenticidade está na história do Peter Parker, mais conhecido como Homem-Aranha. Seus inúmeros problemas – desde espinhas, dificuldades financeiras, confusões com a mocinha, Mary Jane, e, claro, o fato de a polícia considerá-lo um criminoso – o tornam um protagonista comum e próximo das pessoas em geral. Ou seja, você não precisa ser um super-herói perfeito e salvar o mundo, basta adicionar o ingrediente da autenticidade no seu negócio, mostrando também suas imperfeições, erros e, o mais importante, a "voz" pela qual você quer ser reconhecido. Essa é uma maneira muito mais forte e eficiente de criar conexões com pessoas.

5º) Seja reconhecido por ser um líder. Para ser um verdadeiro líder, você precisa se familiarizar com a fórmula da Vitória Digital: conhecer + gostar + confiar. Seu público precisa conhecer você, gostar de você e confiar em você antes de qualquer outra coisa. Quando dominar esses 3 pilares, será praticamente impossível impedir sua ascensão na internet.

Estamos chegando ao final do capítulo e lhe pergunto: "Você está pronto para embarcar nessa jornada?". Mesmo que pense que ainda não está totalmente preparado, siga em frente, pé na tábua e mãos à obra. As coisas só acontecem quando damos o primeiro passo.

Lições Aprendidas

Construa sua casa em terreno próprio, e não em terreno alugado. Em outras palavras, construa seu negócio virtual em uma base própria, onde você possa definir suas regras, em vez de ficar sujeito a regras de terceiros, como é o caso das redes sociais.

As redes sociais funcionam como fontes de atração de pessoas para o seu negócio, e não como base para ele.

A criação de um blog gera autonomia e eficácia para o empreendedor.

O conceito do novo marketing consiste em atrair as pessoas, em vez de empurrar para elas produtos ou serviços, como se costumava fazer. Em vez de caçar clientes, o novo marketing consiste em conquistar a confiança deles.

Criatividade, talento e esforço é o que alimenta o novo marketing.

Ferramentas a ser utilizadas no novo marketing:

- infográficos
- fóruns
- notícias
- mídias sociais
- relações públicas
- e-mails
- e-books
- webnários
- SEO
- *podcasts*
- boca a boca
- vídeos on-line
- blogs

Os 4 pilares do novo marketing:

1. E-mail: forma mais eficiente de venda on-line.
2. SEO: estratégia que visa um aumento de acessos orgânicos.

3. Mídias sociais: plataformas para compartilhamento de conteúdo com o objetivo de atrair pessoas para seu negócio virtual (blog, página de captura etc.)
4. Blog: local onde se gera conteúdo de valor com a finalidade de conquistar confiança, audiência, notoriedade e autoridade no seu ramo de atuação

As 5 partes que compõem o sistema do novo marketing:

1. Planejamento: define parâmetros para a criação de conteúdo, visando o público-alvo.
2. Alcance: capacidade de alcançar novos públicos usando, por exemplo, as redes sociais.
3. Ação: momento de o público decidir clicar no conteúdo ou não.
4. Conversão: transformar cliques em clientes.
5. Engajamento: transformar clientes em seguidores, verdadeiros fãs que vão divulgar seu trabalho gratuitamente.

Em marketing, muitas vezes menos é mais. Não encha a página inicial de seu site ou blog com *widgets*, imagens, textos, anúncios e banners.

Crie guias completos sobre os assuntos tratados.

As 10 formas de distribuição de conteúdos on-line:

1. e-books
2. webnários
3. vídeos
4. minicursos on-line
5. infográficos
6. planilhas
7. checklists
8. ferramentas on-line
9. concursos on-line
10. aplicativos on-line

Para se destacar, umas das maneiras mais efetivas para criar posicionamento é a hipersegmentação do seu mercado. Quando você alcançar um nicho quase personalizado em que ainda existe um bom volume de público, terá chegado ao ponto ideal para se destacar da concorrência.

"Os 5 Passos de Excelência" para garantir uma caminhada de sucesso no mundo digital:

1. Seja reconhecido pelo seu conteúdo.
2. Seja reconhecido por ser um expert (mas nunca se coloque como "o número um do mercado" em seu ramo. Quem deve falar bem de você são os outros, nunca você).
3. Seja reconhecido por ser generoso.
4. Seja reconhecido por ser autêntico.
5. Seja reconhecido por ser um líder.

Fórmula da Vitória Digital: conhecer + gostar + confiar. Seu público precisa conhecer você, gostar de você e confiar em você antes de qualquer outra coisa.

Este foi mais um capítulo. Chegou a hora de você acessar o **www.conaed.com.br/negociosdifitais-henriquecarvalho** e ganhar mais um bônus. Faça isso agora mesmo! ■

CAPÍTULO 8

AS MELHORES SACADAS QUE FAZEM A DIFERENÇA NA HORA DE CONQUISTAR UMA GRANDE AUDIÊNCIA

Samuel Pereira

Vamos recapitular brevemente o que vimos até agora: a importância de construir uma Lista, a mentalidade empreendedora e de geração de valor, as diferentes formas em que você pode atuar utilizando-se do marketing on-line, a visão panorâmica de todo o método de trabalho pela internet, o fato de que conhecimento que resolve problemas das pessoas é valiosíssimo e de que é preciso construir sua "casa própria" (seu negócio virtual) em "terreno próprio", através de um site ou blog. Pois bem, agora chegou a hora de você convidar pessoas para conhecer sua casa. Tecnicamente, chamamos de tráfego esse trabalho de atração de pessoas. Muitos acreditam que basta construir um site e pronto, já se está fazendo marketing pela internet. Esse é um tremendo erro. Após a construção do site, é necessário trabalhar com afinco para atrair pessoas até ele. Nosso próximo coautor convidado, Samuel Pereira, é um mestre na construção de audiência orgânica através do Google. Ele já construiu enormes audiências orgânicas para diversos sites. Note que eu disse audiência orgânica, e não tráfego orgânico. Neste capítulo, Samuel vai apresentar qual é a diferença entre uma coisa e outra. Você gostaria de atrair mais público e um público engajado para o seu negócio? Então chegou a hora de aprender a construir sua audiência orgânica.

Alan Pakes

A internet é o grande palco do marketing na atualidade, e a audiência nesse mundo digital é como o sangue que corre em nossas veias, ou seja, indispensável para o sucesso de qualquer produto na internet – seja um infoproduto, um e-commerce ou mesmo um blog.

E nessa corrida pela conquista de audiências nas plataformas digitais vence quem tem as melhores estratégias, especialmente se pensarmos na audiência que chamamos de orgânica; aquela realizada sem investimento, ou seja, oposta à opção do tráfego pago.

E para ter uma ideia do potencial dessa audiência que você pode alcançar, já atingi mais de 35 milhões de visitantes únicos em todos os meus sites usando essa estratégia. Neste capítulo, vou explicar um pouco melhor como atingir grandes resultados utilizando essa força em seu negócio.

Para obter um resultado efetivo no trabalho digital orgânico existem algumas "sacadas" que consegui identificar como primordiais para o sucesso do meu negócio, e é justamente isso que vou dividir com você.

Gosto de partir do princípio de que você só "existe" na rede quando é acessado. A relação é a mesma que acontece com um estabelecimento comercial do mundo físico: só vai para a frente quando os clientes chegam, entram para conhecer e comprar produtos ou serviços.

Na internet, esse mesmo relacionamento precisa acontecer. Por exemplo, se nunca ouvi falar do seu site, não vou acessá-lo e jamais ficarei sabendo sobre as coisas que você oferece nele.

Contudo, antes de falarmos de estratégias importantes para alcançar resultados positivos de audiência no campo virtual, é importante que você entenda quem gera esse tráfego, ou seja, antes de tentar ser uma máquina de vendas, estamos buscando atingir pessoas.

Por isso, temos de saber como devemos nos comunicar com elas e, principalmente, onde encontrá-las. Desconsiderar seu público pode ser um erro fatal para seu negócio.

Certo dia, eu estava conversando com Eduardo Santorini, do blog *Atitude de homem*, e perguntei: "Qual foi a estratégia que o levou a alcançar tamanho sucesso com o blog?". Ele me respondeu: "Sempre escrevi pensando no que os meus leitores queriam ler. Estou sempre pensando neles". Ou seja, a grande sacada, que na verdade não é segredo para ninguém, mas é desconsiderada por muitos, é pensar nas necessidades do seu público, e para isso é preciso conhecê-lo profundamente.

Quando você lida diretamente com pessoas em geral é necessário fortalecer o lado humano dessa relação, mesmo que todo o seu contato seja on-line.

Seu cliente precisa saber que por trás do computador, das plataformas e das ferramentas que são usadas para chegar até ele existe uma pessoa, um rosto, uma identidade. Se você fala com seu público, isso possibilita um contato mais amigável e real. E esse gesto cria uma tendência a aumentar significativamente a conversão, pois fica implicitamente estabelecida uma relação de credibilidade e confiança.

Talvez você não saiba quem é Ricardo Nunes, mas ele é o fundador da Ricardo Eletro, uma das maiores redes varejistas do Brasil, que tem uma máquina de vendas impressionante e hoje fatura, se não me engano, em torno de 15 bilhões de reais por ano.

Um dia, eu estava assistindo a uma palestra do Ricardo Nunes em um evento de e-commerce e ele estava contando uma história interessante. Ricardo dizia que certa vez estava com mais de 2 mil funcionários de sua empresa – alguns deles gerentes e diretores –, e a pauta era estratégia, lucro e crescimento do negócio.

Foram dois dias inteiros juntos falando a respeito disso e, no final do encontro, ele se perguntou: "Em que momento meus liderados falaram de gente, de seres humanos, de pessoas?". E afirmou: "Antes de pensar em estratégias e lucros, deveríamos pensar em pessoas, porque são elas que vão comprar os produtos que precisamos vender".

Portanto, é importante que fique claro que, quando temos um negócio, estamos lidando fundamentalmente com pessoas. E, diante dessa lição, a primeira coisa que você deve fazer quando iniciar seu empreendimento on-line é ter total consciência de que, se não olhar seu avatar como um ser humano, jamais conseguirá criar um relacionamento de confiança com ele, e suas vendas simplesmente não vão acontecer com o potencial que poderiam.

Só a partir disso você vai conseguir planejar e elaborar a melhor estratégia para alcançar essas pessoas. Se começar sem conhecimento nenhum do seu público, daqueles que você tem de atingir, sua chance de fracasso é muito alta.

Outro case de sucesso muito bom para reflexão é a história de uma amiga que vende suplementos na internet para aumentar massa e emagrecer. Ela começou uma campanha no Instagram postando fotos e passou a conversar com as pessoas através dos comentários. De repente, as vendas passaram a acontecer em escalas cada vez maiores, até que o estoque de produtos simplesmente teve de ser reabastecido. Ou seja, ela deu o que as pessoas mais queriam: atenção!

Também tenho um conhecido que começou a vender capas de celular fazendo fotos no Instagram e, com isso, ele começou a esgotar todo o negócio dele! E detalhe: não havia anúncio no Google nem no Facebook. Ou seja, ele resolveu investir numa rede social menos comercial e descobriu uma audiência receptiva interessada no que ele tinha a oferecer.

A grande sacada das pessoas que conseguem ter sucesso em um empreendimento na internet é criar um relacionamento verdadeiro com seus usuários. E, pensando nisso, existe uma frase do Mark Zuckerberg, fundador do Facebook, que, por mais lamentável que seja, diz sobre algo que muitas vezes acontece: "As pessoas dão mais importância a um esquilo que está morrendo no seu jardim do que às pessoas que estão morrendo na África".

Diante dessas reflexões, partimos para a aprendizagem de uma técnica chamada Web 10X, um caminho para angariar o depoimento das pessoas sobre o seu trabalho. E essa é uma sacada importante para quem pretende extrair bons depoimentos e se baseia totalmente nessa relação de confiança já citada.

O grande segredo para extrair depoimentos sinceros das pessoas é se expor! Quando os usuários têm a chance de ver seu rosto, ouvir sua voz e sentir a emoção com a qual você compartilha seus conteúdos, seu engajamento dá um salto em quantidade e qualidade.

E você pode fazer isso por meio de um *hangout*, um bate-papo on-line ou um vídeo, algo que fortalece sua imagem e gera um relacionamento de interatividade com o público. Consequentemente, as pessoas passam a desenvolver interesse em conhecer melhor você, seus métodos e seus produtos.

E os depoimentos mais substanciais e impactantes que você puder capturar para depois exibir publicamente são de extrema força de divulgação e atestam a qualidade dos benefícios do seu trabalho na vida dos clientes que já o experimentaram.

Ainda seguindo essa estratégia, você pode gerar uma bonificação para aqueles que já desenvolveram uma relação com seu produto, caso eles se manifestem por meio do depoimento.

Se você está aí se perguntando: "Contudo, como eu posso estimular as pessoas a me darem esses depoimentos?". Partindo do princípio de que você já apresentou um bom conteúdo na rede, mostrou seu rosto, passou firmeza no jeito de falar e ofereceu informações que agregaram valor na vida das pessoas, será mais fácil e até espontâneo receber mensagens de agradecimento de alguns clientes.

Contudo, para estimular o público, você pode preparar um bônus que lhe ofereça uma recompensa, como, por exemplo: um infoproduto exclusivo (ou algum complemento especial ao que está sendo comercializado).

Você pode definir um prazo de três a cinco dias para presentear com o bônus todos os que lhe enviarem mensagens por escrito, áudio ou vídeo sobre seu trabalho e os benefícios que ele traz para as pessoas.

Pode parecer justamente o contrário, porém um prazo não muito longo é melhor do que um prazo longo, porque prazos maiores as pessoas acabam deixando para mais tarde, pois pensam: "Ah, tem muito tempo! Depois faço!". E acabam nunca fazendo.

A grande diferença entre tráfego e audiência na internet

Vale também ressaltar a grande diferença que existe entre gerar tráfego e gerar audiência. O tráfego é o que você traz de visitas para o seu site, blog etc. Ele é um dado estatístico da circulação de pessoas no seu site ou blog, mas ele não significa necessariamente um bom resultado de engajamento ou vendas.

O tráfego é estimulado para que você comece a ganhar seguidores movidos pelo seu conteúdo de qualidade. E a ideia é a de que esses seguidores passem a acompanhá-lo aonde quer que você vá, e, assim, a relação de confiança se estabelece. A partir dessa caminhada é que a efetivação da compra on-line acontece.

E aqui chegamos ao conceito de audiência, que é o público fidelizado, que traz retorno para você. Sua audiência acumulada é aquela que reúne um grupo de clientes engajados com o propósito maior do conteúdo que você oferece nas redes.

Agora que você já compreendeu essa primeira etapa do processo, vamos entrar com mais profundidade nas técnicas para alavancar sua audiência e, consequentemente, os resultados do seu negócio digital.

Hoje, uma das maiores fontes de tráfego de geração de audiência é, sem dúvida, o Google, o maior sistema de buscas on-line do mundo.

Para obter bons resultados com o uso dessa plataforma, você precisa saber com propriedade de que modo ela opera e funciona.

A fim de facilitar o entendimento das pessoas, fiz um longo estudo sobre o Google e categorizei os ensinamentos sobre ele em 3 pontos principais que vão lhe ajudar a ter uma compreensão maior do sistema. Os 3 pontos a que me refiro são: informação, relevância e performance.

1. Informação

O mecanismo de buscas do Google precisa entender qual é o conteúdo do seu site para poder expor essa informação e direcionar para ele as pessoas corretas, ou seja, aquelas que desejam saber o que você tem a oferecer.

Primeiramente, você precisa passar as informações sobre seu site para que o Google entenda melhor o que ele é e como deveria posicioná-lo. Ou, melhor dizendo, qual é o seu assunto.

Alguns dados importantes são: título do site e título do post principal, que devem identificar o tema a ser tratado. Por exemplo: se uma loja de maquiagem cria o título *Aprenda a se maquiar em quinze minutos*, essa informação já esclarece qual é o tema da empresa, do site/blog e do post em questão, além do domínio ou endereço do site.

Aliás, o domínio também pode ser um forte aliado para orientar o sistema de buscas, pois ele identifica o nicho. Uma empresa de maquiagem cujo domínio seja, por exemplo, www.maquiagemdodiaadia.com.br. Somente esse endereço já oferece informações suficientes ao Google para entender do que se trata o seu site e direcione o conteúdo dele às pessoas que digitam palavras-chave do assunto.

É um tipo de domínio que "vai direto ao ponto". Assim, quando for pensar no seu domínio ou reavaliar o que já usa, procure se preocupar com a clareza da informação contida ali.

Saber trabalhar com um domínio é uma grande vantagem para seu negócio. Só para você ter uma ideia do valor de um domínio, já consegui comprar um por 30 reais e depois de exatamente um mês vendê-lo por 15 mil reais.

O sistema de buscas do Google costuma fazer uma varredura dessas informações e cria uma associação com essas palavras-chave.

2. Relevância

Nessa área, o que entra em jogo é o engajamento do público que faz citações ao seu trabalho, que curte e compartilha seu site/blog e interage quase como um "militante" do seu conteúdo – não apenas um cliente.

São essas pessoas que agregam relevância ao seu produto. Essa movimentação virtual faz com que o sistema de buscas do Google entenda que seu site é relevante. Ou seja, quando muitas pessoas estão compartilhando a sua informação, isso significa que aquilo é capaz de gerar um interesse grande em uma série de outras pessoas, se elas tiverem acesso a ela.

E, assim, o Google privilegia a visibilidade e a prioridade para o seu site nas buscas relacionadas ao seu tema. Quando seu site é citado por outro site com grande número de acessos, por exemplo, isso também fortalece sua relevância.

Uma dica importante para quem deseja alcançar um alto índice de relevância é conseguir o apoio de pessoas que já possuem notoriedade. Por exemplo: o que aconteceria se você tivesse um blog que produz conteúdos voltados ao nicho de música e o cantor Roberto Carlos resolvesse gravar um depoimento para você, como, por exemplo, um vídeo para elogiar suas composições, textos e artigos. Provavelmente, as pessoas, ao assistir, pensariam: "Se o Rei Roberto Carlos, um cantor reconhecido mundialmente, está recomendando isso, eu posso confiar".

Esse é o efeito do apoio dado por quem tem relevância. E qual é seu papel nesse processo? Estar preparado para entregar cada vez mais conteúdo para essas pessoas e honrar a indicação que o Roberto Carlos lhe deu.

3. Performance

Performance é a qualidade do seu atendimento ao público, ou seja, a rapidez com que o conteúdo digital que você cria e lança na rede chega às pessoas.

Muitos empreendedores digitais não sabem, mas o Google se preocupa com isso. Portanto, é bom se perguntar: "Com que velocidade minha informação está chegando ao leitor? Será que essa performance pode melhorar?".

Há algum tempo, fui procurado por um amigo que veio me mostrar seu site. Quando eu acessei, dei de cara com uma logomarca de 300 KB, uma imagem com um design bem simples.

Para ajudá-lo, peguei a logomarca e otimizei sua formatação, de maneira que ela ficou com apenas 20 KB. Ou seja, o arquivo foi reduzido, com qualidade, para um tamanho dez vezes menor.

Isso é algo simples de fazer. Se você tem Photoshop no seu computador, basta importar a imagem que deseja reduzir e clicar em "Salvar como" ou "Salvar para web". Detalhe: quando você salva como "Web", ele normalmente não reduz muito a qualidade da imagem e comprime ao máximo o peso do arquivo, que é o melhor recurso.

O importante, enfim, é deixar claro que a lentidão na navegação de um site impacta diretamente na performance dele. A Amazon descobriu em um teste que, a cada milésimo de segundo que ela conseguia tornar a performance do seu site mais rápida, suas vendas aumentavam em cerca de 1%. Impressionante, não?

Se você entra em uma página de web repleta de imagens pesadas, ela pode demorar muito tempo para abrir e, enquanto espera, acaba vendo outras coisas e se esquecendo de que havia entrado ali.

Então, muitas vezes os empreendedores digitais correm o risco de "perder" o acesso ao internauta que está tentando visualizar seu conteúdo justamente por não terem a preocupação de analisar a qualidade de suas páginas. Além disso, existe também a possibilidade de seu site ser categorizado pelo Google com uma nota de baixa performance.

Uma dica simples é verificar a resolução das imagens expostas nas suas plataformas virtuais. E, se for o caso, providenciar uma reformulação quanto a isso. Imagens para web não precisam ter alta resolução, e, portanto, adequá-las para exibição on-line pode ser feito facilmente em um editor de imagens.

No endereço <https://developers.google.com/speed/pagespeed/insights/>, você pode ver como está a performance do seu site, obter sugestões de como melhorá-la e saber como está seu site para smartphones e tablets. É possível medir a performance em uma escala de 0 a 100.

Hoje, esses cuidados precisam ser tomados, pois uma baixa performance pode depor contra o seu negócio, o que desfavorece seu relacionamento com os clientes e também com o Google, o qual pode diminuir a prioridade de indicações da sua página nas buscas.

Bem, espero ter contribuído com a construção e/ou reestruturação do seu empreendimento digital. As sacadas que apresentei poderão fazer uma grande diferença na sua busca por audiência na web. Siga corretamente as indicações e destaque-se nesse universo tão vasto que é o mundo virtual.

E lembre-se: entregue seu melhor conteúdo, sempre. Agora, quero encorajá-lo a pôr em prática o que aprendeu aqui. Como sempre gosto de dizer nos meus eventos presencias: acredite em você. Faça acontecer. Porque habilidade é o que você é capaz de fazer. Atitude determina o que você faz. Motivação determina quão bem você faz.

Lições Aprendidas

Você só "existe" na rede quanto é acessado. Portanto, se as pessoas não souberem da existência do seu site, elas jamais terão ideia do que você oferece nele.

Sempre escreva pensando nos leitores, nas necessidades deles. Para isso, é preciso conhecê-los profundamente. Se você começar sem conhecimento do seu público, a chance de fracasso é alta.

É preciso fortalecer o lado humano mesmo no contato on-line (digo mais: sobretudo no contato on-line).

Seu cliente precisa saber que existe uma pessoa, um rosto, uma identidade por trás do computador e das ferramentas usadas para chegar até ele.

É preciso ter claro que lidamos fundamentalmente com pessoas.

O que as pessoas mais querem é atenção.

A grande sacada para o sucesso de um negócio on-line é criar um relacionamento verdadeiro com seus usuários.

Depoimentos de clientes são a chave para o sucesso de negócios digitais. Eles são de extrema força para divulgar seu trabalho e atestar a qualidade dele.

- A chave para obtenção de bons depoimentos é a relação de confiança criada com o público. Para isso, é preciso se expor, mostrar seu rosto, sua voz, suas emoções, ter interatividade com a audiência. Isso gera um engajamento muito maior.
- Você pode bonificar seus clientes que já se beneficiaram do seu produto para incentivar a obtenção de depoimentos.
- Os depoimentos precisam ser sempre sinceros e autênticos.

A grande diferença entre tráfego e audiência na internet é: tráfego é o número de pessoas que visitam seu site ou blog; isso não necessariamente gera bons resultados de engajamento ou vendas. Audiência é o público fidelizado, que gera mais retorno para você.

Técnicas para alavancar sua audiência pelo Google:

Os 3 pontos principais a saber:

1. Informação: o Google precisa entender melhor do que se trata o seu site para poder posicioná-lo.
   - Título do site e do post principal já devem identificar o tema a ser tratado.
   - Domínio é um forte aliado para o sistema de busca identificar seu nicho.
   - Use palavras-chave intimamente relacionadas com o assunto central do seu site, blog ou empresa. Elas podem aparecer destacadas em itálico ou negrito no decorrer dos textos.
2. Relevância: é o tamanho do engajamento do público, ou seja, o número de pessoas que citam, curtem e compartilham seu conteúdo e interagem com ele.
   - Quando muitas pessoas compartilham sua informação, significa que ela gera interesse grande em uma série de outras pessoas. O Google privilegia esse tipo de conteúdo.
   - Também é importante ser citado em outros sites com grande número de acesso, principalmente se esses sites já tiverem notoriedade em seu nicho.
3. Performance: é a rapidez com que a informação é disponibilizada ao público. O Google privilegia os conteúdos mais rápidos.
   - Dica: verificar resolução das imagens usadas em suas páginas.
   - Link para dicas de performance do site: <https://developers.google.com/speed/pagespeed/insights/>

Entregue seu melhor conteúdo, sempre.

Parabéns por ter completado o capítulo. Então é hora de comemorar. Vá até o www.conaed.com.br/negociosdigitais-samuelpereira e acesse o bônus especial do capítulo do Samuel Pereira ■.

CAPÍTULO 9

FACEBOOK NINJA

Ramon Tessmann

No capítulo 3, Jober Chaves mostrou que plantar para depois colher é uma das chaves para alcançar a verdadeira riqueza. Ou seja, para obter resultados, antes de tudo é preciso gerar valor para as pessoas. E nosso próximo coautor vive isso no dia a dia: Ramon Tessmann é um verdadeiro semeador de valor. Ele sempre se importa em fazer o bem para todos ao seu redor. Por consequência, tem muito a colher. Outra característica do Ramon é que ele é apaixonado por elevar o nível. Ele deseja que você otimize seu negócio alcançando níveis cada vez mais altos. No capítulo anterior, Samuel Pereira mostrou as maneiras de atrair convidados para a sua casa através do Google. Chegou a hora de Ramon Tessmann ensinar a mesma coisa – atrair audiência orgânica –, mas dessa vez através do Facebook. *Let's elevate*! Vamos elevar com Ramon Tessmann.

ALAN PAKES

Quando se fala em marketing digital hoje, uma das plataformas mais citadas como propícia ao acesso de um público-alvo é o Facebook. Contudo, percebo que muitos empreendedores acreditam, erroneamente, que para obter êxito nessa rede social é preciso apostar na compra de anúncios.

Essa premissa, no entanto, não é verdadeira. Você pode usar o Facebook de forma inteligente e obter bons resultados se entender como ele funciona e quais são as regras do jogo.

O método Facebook Ninja, que eu criei, vem de um estudo que faço há alguns anos com essa ferramenta e que foi sendo construído na prática da tentativa e erro. Hoje, você pode ter acesso aos resultados das minhas pesquisas, direcionando as suas ações para aquilo que efetivamente funcionará para a sua *fanpage*.

Vou disponibilizar, neste capítulo, 12 dicas de como administrar uma *fanpage*, incluindo a redação de cada postagem, de maneira que, no fim do capítulo, você terá mais condições de chegar ao sucesso nessa rede social sem tirar um centavo do bolso.

1ª Dica: Posts factuais

As postagens sobre temas atuais, que estão acontecendo naquela semana ou mesmo naquele dia – como uma greve de motoristas de ônibus ou a explosão de um shopping –, são muito bem-aceitos pelos usuários da rede. No calor do momento, as pessoas estão ávidas por informação e também por criar uma opinião própria sobre o assunto. Por isso, muitas delas procuram primeiro ler a opinião dos outros para depois se posicionar a respeito.

Assim, temas atuais têm muita chance de se tornar imãs de compartilhamento – o que costumo chamar de engajamento. Esse tipo de postagem pode ter um efeito multiplicador quando a maioria das pessoas concorda com seu posicionamento diante do acontecimento factual.

Por exemplo, em meados de junho de 2013, quando uma série de manifestações acontecia nas ruas do país, repostei a seguinte frase no Facebook: "O Brasil alterou seu status de 'deitado eternamente em berço esplêndido' para 'verás que um filho teu não foge à luta'". O resultado foi que, em cerca de cinco minutos, a mensagem já atingia a marca de 826 compartilhamentos.

Portanto, esteja atento e bem informado sobre o que acontece na sua cidade, no seu país, porque isso pode lhe render um pico de audiência fantástico. Contudo, cuidado para não dar sua opinião sobre temas delicados, como posicionamento religioso, tendência política, entre outros. Nesses campos, meu conselho é que você adote uma postura mais neutra.

2ª Dica: Desabafos – "O meu problema é igual ao seu"

Quando você posta mensagens que são problemas comuns a muita gente, sua chance de obter índices de audiência para a sua *fanpage* é grande. Quando, porém, assumir um tom de desabafo, use a cautela e a inteligência.

A dica aqui é apostar em textos que falem de causas irrefutáveis, como a defesa do meio ambiente, por exemplo, entre outras causas comuns a uma série de pessoas. Você pode investir também em posts que tratem de injustiças sociais, cuja dor toque a emoção de grande parte de seu público-alvo. Ou seja, em resumo, a premissa é: se você se tornar porta-voz de algo que muitas pessoas pensam e desejam falar, certamente sua mensagem será muito curtida e compartilhada.

Tome cuidado com uma coisa importante: não fale mal de pessoas ou empresas e não cite nomes, pois isso poderá lhe trazer muitas dores de cabeça. Um exemplo de experiência que obtive no ano passado pode ilustrar bem o que digo. Fiz um post no qual desabafava sobre as dificuldades que estava tendo com uma grande empresa de telefonia. Não citei nomes, mas relatei os problemas com relação ao funcionamento da conexão de internet e argumentei que, por ser uma empresa, eu estava tendo muitos prejuízos com as oscilações da rede. Por incrível que pareça, esse post teve mais de 240 curtidas e 200 compartilhamentos. E sabe por quê? O conteúdo dele relatava um problema comum a muita gente. As pessoas se sentiam solidárias com a minha "dor" e replicavam a mensagem.

Outro conselho que costumo dar para que o empreendedor digital tenha cuidado é: não escreva textos longos no seu post, porque as pessoas não terão paciência para ler. Uma publicação atrativa no Facebook deve conter 1 ou 2 parágrafos e dizer diretamente "a que veio". Seja breve, porém firme, no que diz.

3ª Dica: Frase de efeito – causando impacto na audiência

Quando você cria um post fazendo uso de uma frase forte, que causa impacto em quem lê, você pode transformar pensamentos, ajudar pessoas e quebrar paradigmas.

Certa vez, postei a seguinte mensagem no meu Facebook: "Os inteligentes discutem ideias, os medíocres discutem fofocas". Uma frase como essa gera identificação com as pessoas, e elas, rapidamente, curtem e compartilham porque tomam partido e passam a defender o mesmo pensamento ou teoria expressa no post.

Você pode usar frases suas, algum lema da sua empresa ou mesmo frases de terceiros (dando os devidos créditos, é claro), juntamente com uma imagem que ilustre a ideia postada.

Por fim, as frases de efeito funcionam também como um imã de compartilhamento e engajamento com seu público. Portanto, faça uso delas, sempre com moderação, avaliando previamente se terá uma boa aceitação ou não na postagem da ideia que deseja expor.

4ª Dica: Uma pitada de humor inteligente nos seus posts

Você sabia que o uso do humor inteligente pode arrebanhar muitos fãs para a sua página no Facebook? Isso já foi comprovado estatisticamente.

Procure usar as sazonalidades, acontecimentos engraçados que sejam relacionados ao seu mercado, e faça postagens. Contudo, tenha sempre em mente que sua pitada de humor em um post precisa ser relevante para os fãs de sua *fanpage*.

Antes de postar, tome cuidado e verifique se o conteúdo não está informal demais ou mesmo inconveniente. Fique alerta também quando o contexto envolver algum tipo de piada, pois muitas delas podem ser ofensivas para determinado grupo de pessoas.

Outras recomendações importantes: jamais publique palavras de baixo calão – os chamados "palavrões" – e procure evitar textos que contenham mensagens apelativas.

Você deve usar do bom humor com inteligência e moderação, como, por exemplo: "Complete a frase a seguir: 'Para mim, o chefe ideal seria assim...'". A partir desse enunciado, as pessoas vão se sentir estimuladas a comentar sua publicação e, para muitas delas, será um grande divertimento!

Imagine que seus seguidores procuram informações sobre seu nicho e, normalmente, deparam-se com textos sérios. De repente, uma brincadeira como essa chama a atenção e cativa muito mais seu avatar do que um artigo científico sobre o assunto.

Lembre-se sempre: posts divertidos geram um alto engajamento. O humor relevante sempre é bem recebido pelos fãs. Portanto, antes de postar, revise seu conteúdo e analise se, de fato, o tom de brincadeira contido nele tem relevância. Se você começar a colocar piada que não tem nada a ver, algumas pessoas vão achar engraçado no começo, porém, com o tempo, você perceberá que não há engajamento.

5ª Dica: Mensagens persuasivas – fugindo do lugar-comum dos textos

Vamos praticar o exercício de analisar o anúncio básico de um livro qualquer: "Atenção, acabei de lançar o livro *Como construir um site que vende muito*. O livro é muito bom e barato. Apenas 19,90 reais. Compre aqui!".

Bem, ao ler essa mensagem, eu diria que esse livro não me interessa. Se, porém, eu me deparasse com um texto escrito da seguinte forma: "Ei, você! É! Você mesmo! Sabia que a utilização de botões de compras nas cores laranja e azul aumentam em 50% a possibilidade de um usuário comprar no seu site? Pois é, descobri isso fazendo vários testes. Também descobri que as cores a ser evitadas são: marrom, preto e rosa. Descobri tanta coisa interessante que decidi escrever um livro com as melhores práticas para que você possa vender dez vezes mais, fazendo apenas alguns ajustes no seu website. Então me diga o que você achou dessa dica e, se quiser, dê uma olhada no link abaixo".

Esse é o tipo de mensagem que costumo chamar de divulgação indireta. Você bate um papo rápido com as pessoas e oferece uma informação ou dica que vai ser relevante para elas. A partir desse posicionamento, você faz com que as pessoas cliquem para saber mais sobre o produto.

6ª Dica: A lei da reciprocidade

Fazer uso da lei da reciprocidade, que nada mais é do que uma troca, também funciona muito no Facebook. Por exemplo, a criação de concursos e outras formas de envolver os fãs com ações que proporcionem a distribuição de prêmios, descontos, bônus e brindes é uma técnica muito eficaz de fidelizar o público que você já tem e atrair mais pessoas para curtir sua página.

A estratégia é simples: você se propõe a dar algo em troca de um *like* em sua *fanpage*, por exemplo. Essa tática também pode ser usada para gerar compartilhamentos em um post ou qualquer outra ação que você deseje que o usuário do Facebook faça.

Uma coisa importante, que deve ser levada em consideração na criação dos textos para postagens em geral, é: evite os encurtadores de link. Um estudo recente da Buddy Media apontou que as taxas de engajamento eram 3 vezes mais altas nos posts que usavam o link completo do site oficial para onde o usuário seria direcionado.

Vale salientar que os links curtos, gerados por sites especializados nessa prática, foram criados para facilitar os posts no Twitter, que é uma rede social que propõe a criação de mensagens curtas.

O Facebook não é assim. Portanto, você não precisa transformar seu link em algo com menos caracteres, pois isso diminuirá sua taxa de engajamento.

Lembre-se: as pessoas querem clicar em um site familiar para elas. Seu público-alvo não vai clicar em um link encurtado, que pode remeter a um vírus, um site fraudulento ou qualquer outra situação de risco na rede.

7ª Dica: Interagindo nos grupos do Facebook

A minha sétima dica é: participe ativamente de grupos relevantes ao seu nicho de mercado dentro do Facebook. Essa é uma estratégia que, dependendo do seu desempenho e da sua dedicação, vai lhe gerar muitos fãs e *leads*.

Seus posts, em grupos de seu ramo de atuação, devem ser de qualidade e, vez ou outra, remeter à sua *fanpage*. Contudo, atenção: não faça propaganda direta. Apenas forneça alguma dica de técnica usada para resolver o problema do seu público-alvo ou redija uma mensagem-desabafo sobre sua dor, que será comum a todos os participantes, de maneira que gere curiosidade nas pessoas para conhecer mais sobre você e sobre o que tem a dizer.

8ª Dica: O melhor horário para publicar postagens no Facebook

Muitas pessoas me perguntam qual é o "horário nobre" para postagens no Facebook. Ao contrário das emissoras de TV, que possuem um horário preestabelecido como top em audiência (que é quando a maior parte das pessoas chegou do trabalho e está em casa diante da TV), na internet as coisas não funcionam dessa forma.

No decorrer do dia, seu público-alvo pode estar conectado nas redes pelo celular ou mesmo usando o computador em horário de trabalho. Portanto, dependendo do seu nicho de atuação, esse tão falado "horário nobre" pode variar.

Para ter essa informação de maneira mais assertiva, você precisa fazer um estudo a fim de entender quais são os picos de horário em que seu público-alvo está on-line. Alguns termômetros interessantes são os horários das mensagens enviadas para os grupos específicos do seu nicho e a produção de pesquisas de campo em que as pessoas poderão lhe responder efetivamente como é a relação delas com as redes sociais e, mais especificamente, o Facebook.

9ª Dica: Postagens humanas que citem pessoas comuns

Essa foi uma técnica que testamos na própria *fanpage* da minha empresa, a Blueberry, e nos deu um retorno enorme: a humanização do post.

Para que você entenda bem como funciona isso, vamos a um exemplo verídico: quando eu coloquei uma foto da minha secretária segurando uma plaquinha que indicava a escolha dela como funcionária do mês, as pessoas curtiam numa rapidez instantânea.

Depois disso, promovendo outras postagens que seguiam essa linha, percebemos que os usuários do Facebook não querem falar com marcas, eles se identificam com imagens, relatos e histórias de pessoas comuns, como eles. Ou seja, eles se perguntam: "Quem está por trás da empresa Blueberry?". E o post responde: "Ah, é a fulana de tal, funcionária do mês". Isso cria uma empatia bem maior entre a marca e seu público-alvo.

Em resumo, lembre-se sempre: pessoas curtem pessoas!

10ª Dica: Relacionamento – responda a todos os que estão na sua *fanpage*!

Relacionamento é uma palavra de ordem quando se fala em marketing digital. A interação é um dos princípios básicos para alavancar qualquer negócio no mundo on-line.

Hoje, quase todo mundo sabe disso, porém já flagrei vários empreendedores digitais deixando essa ação de lado, principalmente aqueles que estão no começo da jornada, ou seja, entrando no mercado agora.

O empreendedor se queixa de ter poucos fãs, curtidas e compartilhamentos, porém, quando analiso a página dele, percebo que alguns usuários deixaram um comentário ou outro em alguns posts e a coisa parou naquilo. Ou seja, o dono da *fanpage* tem pouco público e sua pequena audiência nem recebe resposta.

É preciso ter em mente que um fã do Facebook não corresponde necessariamente a um fã real seu. Ele simplesmente apertou um botão de "curtir" que estava na sua *fanpage*.

Portanto, se não interagir e não cultivar um relacionamento com ele, esse sujeito jamais comprará um produto que você pode vir a lhe oferecer. Para isso, ele precisa se tornar um fã real, alguém que o conhece e admira e, por conta disso, confiará no que você propõe e indica.

Quando você dá atenção para uma pessoa, inevitavelmente você causa um impacto nela e deixa de ser somente mais uma *fanpage* curtida para ser alguém real que merece ser ouvido, curtido, compartilhado etc.

11ª Dica: Leve sua *fanpage* para fora do Facebook

Existem recursos no Facebook, como o Like Box, que permitem uma integração entre a sua *fanpage* e um site ou blog, além de outras plataformas na web. A dica é que você comece a divulgar a sua página em outras redes, para outros públicos.

O espaço para descrição no YouTube é uma oportunidade que você tem para deixar o link da sua página no Facebook, por exemplo. Se você gera seguidores e fãs através de vídeos postados nessa rede, poderá facilmente encaminhá-los para curtir sua *fanpage*.

E saiba que até o seu e-mail pode ser um espaço para a divulgação da sua página no Facebook. Eu mesmo mantive, por muito tempo, uma assinatura de e-mail que continha a seguinte mensagem: "Curta a minha *fanpage*". E devo dizer que consegui vários fãs com dessa estratégia.

12ª Dica: Crie engajamento compartilhando notícias relevantes

De acordo com seu ramo de atuação, você pode selecionar as principais notícias da semana, que são também do interesse do seu público-alvo, para usar como post. Com certeza, a mensagem se tornará um agente de engajamento para movimentar sua *fanpage*.

Muitas pessoas costumam me procurar com lamentos e perguntas do tipo: "Mas, Ramon, é muito difícil criar um conteúdo interessante para postar semanalmente. Não tenho tanta criatividade assim e acabo não publicando nada. O que faço?".

Sempre respondo aconselhando essas pessoas a utilizarem a técnica do compartilhamento de notícias relevantes ao seu nicho de atuação. Recomendo que elas entrem nos principais sites dos veículos de comunicação e escolham algumas informações que possam servir como publicação para suas *fanpages*.

E a dica para o uso eficaz dessa técnica é a de que você comente algo sobre a notícia. Dê sua opinião ou acrescente alguns dados extras que complementam o artigo que será postado. Dessa forma, o leitor ganhará não só recebendo um conteúdo jornalístico já filtrado por você, como também se sentirá recompensado pelo que escreveu por si próprio.

E mais: para esquentar o debate sobre o tema da notícia, peça a opinião do seu público nos comentários e agregue ainda mais valor e interação ao seu post.

Agora que já lhe ensinei as 12 dicas do Facebook Ninja, é preciso dizer que muitas pessoas recebem todas essas informações em meus cursos, palestras, livros e treinamentos, mas são poucas as que realmente arregaçam as mangas, saem do sofá e passam a se dedicar a cuidar de sua *fanpage* como um exercício diário de relacionamento e interação com sua audiência.

Portanto, se você está se sentindo inspirado neste momento – e acredito que esteja – não perca de vista essa energia, essa sensação de que você pode fazer acontecer.

A aplicação desses conhecimentos fez com que eu conseguisse milhares de fãs sem investir um centavo do meu bolso em nenhuma plataforma digital. Portanto, não use a desculpa da dificuldade financeira para justificar seu comodismo.

Algumas pessoas costumam me perguntar: "Você nunca investe em anúncios?". Respondo que eventualmente faço isso, porém, não é – nem nunca foi – pré-requisito para alavancar meus negócios.

Consegui boa parte dos meus fãs – que hoje ultrapassam a marca de 60 mil – de forma orgânica, ou seja, usando a inteligência, o conhecimento das regras do Facebook e uma dedicação diária na construção desse relacionamento com os que estão nessa rede. E, se eu fiz isso, por que você não pode começar a fazer também?

Lições Aprendidas

É possível obter êxito no Facebook sem a necessidade de compra de anúncios.

As 12 dicas para o sucesso no Facebook sem tirar um centavo do bolso:

1. Posts factuais: postagem de temas atuais, acontecimentos de sua cidade, do seu país, notícias/assuntos daquele dia ou semana.
   - Cuidado para não dar opinião sobre temas religiosos e políticos. Fique neutro nesses temas.
2. Desabafos: "O meu problema é igual ao seu". Usando cautela e inteligência, você posta mensagens com problemas comuns a muita gente. Torne-se porta-voz das pessoas.
   - Cuidado para não falar mal de pessoas ou empresas. Não cite nomes.
3. Frase de efeito – causando impacto na audiência: uma frase forte pode transformar pensamentos, ajudar pessoas e quebrar paradigmas.
   - Use lemas seus ou de sua empresa.
   - Utilize frases de terceiros dando os créditos.
   - Escolha uma imagem que ilustre a ideia postada.
4. Uma pitada de humor inteligente nos seus posts: use sazonalidades, acontecimentos engraçados que sejam relacionados ao seu mercado e que sejam relevantes ao público da *fanpage*.
   - Cuidado com assunto informal demais ou mesmo inconveniências.
   - Cuidado com piadas que possam ser ofensivas a certas pessoas.
5. Mensagens persuasivas – fugindo do lugar-comum dos textos: em vez de clássicos textos de anúncio, você deve bater um papo rápido com as pessoas e oferecer uma informação relevante para elas. A partir desse posicionamento, você faz com que elas cliquem para saber mais sobre o seu produto.

6. A lei da reciprocidade: você se propõe a dar algo em troca de um like em sua *fanpage*, compartilhar um post ou qualquer outra ação que deseja que o usuário do Facebook faça.
7. Interagindo nos grupos do Facebook: participe ativamente de grupos relevantes ao seu nicho de mercado. Faça posts de qualidade.
   - Cuidado para não fazer propaganda direta. Apenas forneça alguma dica de técnica usada para resolver o problema do seu público-alvo ou redija uma mensagem-desabafo sobre a sua dor, que será comum a todos os participantes, de maneira que gere curiosidade nas pessoas.
8. O melhor horário para publicar postagens no Facebook: dependendo do seu nicho de atuação, o "horário nobre" pode variar.
   - Para ter essa informação, faça um estudo a fim de entender quais são os picos em que seu público-alvo está on-line.
9. Postagens humanas que citem pessoas comuns: pessoas curtem pessoas! Elas não querem falar com marcas. Elas se identificam com imagens, relatos e histórias de pessoas comuns.
10. Relacionamento – responda a todos os que estão na sua *fanpage*: relacionamento é palavra de ordem quando se fala em marketing digital.
    - Dê atenção às pessoas. Isso causará impacto nelas, e você será percebido como alguém que merece ser ouvido, curtido, compartilhado etc.
11. Leve sua *fanpage* para fora do Facebook: use recursos, como o Like Box, que permitem integração da sua *fanpage* com sites ou blogs. Divulgue sua página em outras redes, para outros públicos.
12. Crie engajamento compartilhando notícias relevantes: selecione as principais notícias da semana, que são também do interesse do seu público-alvo, para usar como post.
    - Comente algo sobre a notícia.
    - Dê a sua opinião ou acrescente alguns dados extras que complementam o artigo.
    - E mais: peça a opinião do seu público nos comentários e agregue ainda mais valor e interação ao seu post.

Dicas adicionais:

- No Facebook, escreva posts curtos com 1 ou 2 parágrafos apenas.

- Evite os encurtadores de link.
- Arregace as mangas. Não use a desculpa da dificuldade financeira para justificar seu comodismo.

Excelente esse conteúdo do Ramon Tessmann. E, para esse assunto não terminar aqui, acesse o **www.conaed.com.br/negociosdigitais-ramontessmann** e confira o bônus especial deste capítulo. ■

CAPÍTULO 10

DUAS PÁGINAS BEM UTILIZADAS PODEM GARANTIR O SUCESSO DO SEU NEGÓCIO DIGITAL

Hugo Rocha

No capítulo 1 deste livro, você entendeu a importância da Lista. E nos dois capítulos anteriores a este, você viu como atrair audiência para seu negócio digital. Agora, vai aprender sobre a estrutura fundamental para transformar sua audiência em Lista e depois em Clientes. Hugo Rocha, um verdadeiro expoente no marketing digital, está à frente de diversas empresas que oferecem ferramentas (software) para os empreendedores digitais.

Por meio do trabalho do Hugo, o marketing digital no Brasil foi elevado a outro nível, pois suas ferramentas facilitaram a vida de todo o mercado. Por isso, ele foi convidado a ser coautor desta obra. Neste capítulo, Hugo vai apresentar as duas páginas fundamentais necessárias para ter sucesso no seu negócio digital. E ele vai entregar ainda mais do que isso. Ele vai dar um toque sensacional sobre o papel que você deve assumir para ter sucesso com seu negócio. Quer saber qual é? Chegou a hora.

ALAN PAKES

Se você está pensando em dar início a um empreendimento digital, uma das primeiras demandas que vai encontrar pela frente é a construção de páginas on-line com as quais seu avatar vai se deparar durante o processo de atração, cadastramento, relacionamento e venda do seu produto.

Nessa fase, algumas questões vão surgir naturalmente em sua cabeça, como: "Qual modelo de página devo usar? Que tipo de chamada pode ser mais assertiva? Que foto coloco aqui? O que converte mais?".

Neste capítulo, você aprenderá a responder a todas essas perguntas e verá que o sucesso de um negócio, muitas vezes, está diretamente ligado à construção e ao uso estratégico de páginas atrativas que possam efetivar vendas.

Antes de entrarmos nesse assunto, é importante que você saiba quem sou eu e por que estou disposto a compartilhar meu conhecimento neste livro. Afinal, sempre que nos propomos a aprender com alguém, devemos nos certificar de quem é essa pessoa e de que maneira ela adquiriu a bagagem de informações que está nos passando.

Portanto, vou me apresentar. Meu nome é Hugo Rocha e eu sou um dos donos da empresa Ignição Digital, em sociedade com meu parceiro e irmão, Erico Rocha. Atuamos no ramo dos negócios on-line há muito tempo e, com a vivência profissional que adquirimos, criamos o método Fórmula de Lançamento, que hoje é um treinamento reconhecido e solidificado no mercado digital.

Temos também outras empresas que fornecem ferramentas e plataformas on-line para facilitar a vida dos empreendedores. São elas: KlickPages, KlickSite, KlickMembers e KlickMail.

Para além desse ramo de atuação ligado ao mundo digital, mantemos também alguns negócios em outros nichos, como é o caso da ProLeilões, empresa que ensina as pessoas a arrematar imóveis com preços abaixo do valor de mercado em leilões especializados nisso.

Diante dos resultados que conquistamos, com larga experiência profissional, fomos alcançando com o tempo um patamar de êxito sem precedentes com nossas empresas. E nos tornamos experts em criar e administrar negócios com pouco custo e alta rentabilidade.

Para mim, é de grande satisfação compartilhar com você um pouco do conhecimento que tanto nos ajudou na construção de nossa carreira empresarial.

Se você está começando um negócio on-line ou já tem algo em andamento, saiba que existem dois papéis que você pode assumir. O primeiro deles é o papel de "empreendedor" e o segundo é o de "técnico".

Empreendedor é aquele sujeito que tem visão do negócio. Estou falando de quem vai traçar as estratégias que precisam ser feitas para alavancar resultados.

Já o técnico é aquele que vai, efetivamente, colocar a mão na massa. Ou seja, vai construir as páginas, trabalhar na integração delas com o e-mail marketing e o sistema de pagamento, verificar e manter cada uma delas "no ar" e cuidar de todo tipo de suporte tecnológico que um negócio on-line exige.

O que acontece normalmente é que os empreendedores digitais iniciam seus projetos on-line acreditando que podem interpretar os dois papéis, ou seja, ocupar as duas funções.

Você pode até assumir esses dois papéis, mas tenha em mente o seguinte: num negócio, não dá para exercer duas funções com excelência quando ambas exigem foco e atenção exclusivos ao mesmo tempo. Falo por experiência própria! Saiba que chegará um momento em que você precisará escolher entre uma delas – ou o seu negócio vai começar a empacar.

Uma coisa deve ficar clara: não há como fazer as duas coisas com maestria ao mesmo tempo. Você precisa ter na cabeça que, no seu negócio on-line, vai ter de escolher um único papel para desempenhar.

E recomendo fortemente que você escolha desempenhar o papel de empreendedor, porque a função de técnico possui atribuições que você pode delegar a alguém, enquanto a tarefa do empreendedor – que é um mentor do negócio – não é tão transferível assim.

Ou seja, você não vai conseguir delegar o papel de empreendedor para outra pessoa. Até porque, se você delegar o papel e a pessoa se tornar a empreendedora do seu negócio, provavelmente ela vai querer montar o negócio dela. Ela vai parar e pensar: "Por que estou sendo empreendedor do negócio de outra pessoa?".

Você concorda, então, que transferir o papel de mentor do seu negócio on-line está fora de questão, certo? Assim, vamos seguir a partir daqui considerando que você está no papel de empreendedor e precisa manter uma visão geral de tudo. Portanto, olho vivo, atenção máxima e espírito de vencedor para alcançar o topo desse jogo.

Agora vou lhe mostrar como é possível identificar quais são as duas páginas mais importantes do seu negócio. Esse é o primeiro passo no qual você precisa focar para empreender.

A primeira delas é a página de inscrição, na qual você oferece uma recompensa em troca do e-mail das pessoas. A partir do momento em que os usuários cedem o endereço de e-mail, eles estão automaticamente se cadastrando na sua Lista.

Por isso, costumo dizer que a página de inscrição é uma interface poderosa que vai lhe permitir a construção de um dos maiores ativos que seu negócio digital pode ter: sua audiência de *leads*!

E a grande sacada é ficar atento ao seguinte: você precisa ter várias páginas de inscrição, e não apenas uma. Para cada fonte de tráfego, você deve montar uma página de inscrição específica – ou várias. Digo isso porque existem modelos que convertem mais para um tipo de fonte de tráfego do que outros, e assim por diante.

Por exemplo, vamos supor que você vai fazer uma propaganda no Facebook. Se o clique no seu anúncio encaminha o usuário para uma página de inscrição que inflige a política de normas dessa rede social, a sua conta será automaticamente banida.

Ou seja, às vezes, o modelo de uma página pode até ser campeão em conversão, mas, se a fonte de tráfego não o aceita, de nada adianta insistir em usá-lo.

É por isso que você precisa ter sempre em mente que: diferentes fontes de tráfegos levam a diferentes páginas. E os empreendedores digitais, em sua maioria, simplesmente não sabem disso.

Seu negócio não é feito com apenas uma página de inscrição, mas com dezenas delas. É isso que vai colocá-lo diante da sua audiência de *leads* e clientes. Esse é seu grande ativo!

Agora, vamos falar da segunda página mais importante do seu negócio digital: a página de vendas! E aqui entra, mais uma vez, a grande sacada da qual eu já vinha falando: não existe um modelo único de página de vendas, mas vários. Por exemplo, se eu fizer uma propaganda no Facebook para oferecer determinado software, devo criar uma página de vendas que seja grande e que demonstre o que o software é capaz de fazer.

Acredito que a essa altura você deva estar se perguntando: "Como faço para construir essas páginas?", o que é natural, afinal, você precisa delas para tocar seu empreendimento on-line.

Antes de se inscrever num curso de HTML, JavaScript, CSS ou PHP, lembre-se do que falei no início deste capítulo: você vai se tornar um técnico ou um empreendedor do seu negócio?

Se quiser ficar baixando *plug-in*, comprando e configurando servidor, instalando *plug-in* no WordPress, lidando com conflitos entre um *plug-in* e outro, instalando tema, e assim por diante, saiba que estará optando pelo papel de técnico. Por isso, repito: esse tipo de caminho fará você abrir mão de tomar o posto de empreendedor com toda a energia e foco que seu negócio precisa. Lembre-se: a parte técnica você consegue delegar.

Fique atento: se começar a gastar mais tempo fazendo a parte técnica do que sendo empreendedor, alguma coisa estará errada! Somente atuando no papel de empreendedor é que você vai construir ativos para alavancar seu negócio.

Suas páginas não podem ser construídas simplesmente por construir. Elaborar atentamente o modelo de uma página e colocá-la no ar é uma parte importante do seu negócio, porém, ela não deve ser a sua prioridade. É preciso simplificar esse processo.

Um bom empreendedor é aquele que enxerga a construção de páginas como uma tarefa que pode seguir dois caminhos. O primeiro deles é montar uma equipe de desenvolvimento dentro da empresa. Ou seja: contratar um designer, *um webdeveloper* e um profissional de suporte que possam atuar na parte de infraestrutura para garantir que seus servidores estarão no ar – e que não cairão.

O segundo caminho é adquirir ferramentas que façam, de maneira rápida e simples, essas mesmas tarefas descritas no parágrafo anterior. Atualmente, existem ferramentas poderosas que viabilizam o trabalho de construção de páginas de maneira que você possa colocar a mão na massa – sem muitos conhecimentos técnicos – e ainda consiga exercer o papel de empreendedor em seu negócio.

Se quiser optar por criar uma equipe, terá de lidar com tudo o que isso acarreta como demanda: contratar pessoas, cumprir com folha de pagamentos, pagar todos os direitos e os encargos trabalhistas que a lei determina, gerenciar e motivar seu time de colaboradores.

Se escolher o segundo caminho, ou seja, a aquisição de ferramentas digitais facilitadoras dos processos, provavelmente estará optando pela solução mais eficiente para quem quer montar um negócio on-line hoje.

Contudo, esteja alerta: é fundamental saber selecionar as ferramentas que realmente garantem um bom funcionamento. Você precisa escolher a ferramenta certa, aquela que vai lhe permitir criar e editar páginas rapidamente, além de oferecer layouts profissionais e otimizados para cada função da sua página. Ou seja, se é uma página de inscrição que tem de explicar mais para poder converter tráfego de Facebook, ela precisa ser otimizada para isso. Contudo, se é uma página que simplesmente deve converter um tráfego vindo de uma plataforma que não tem políticas, ela precisa ser otimizada para aquilo.

Se é uma página que, por exemplo, vai fazer com que as pessoas se inscrevam num webnário, ela deve ser otimizada para esse propósito. E, se for para vender, tem de ser otimizada para isso.

Resumindo, você precisa de uma ferramenta que possa lhe oferecer layouts que sejam otimizados. E essa ferramenta necessita também estar em servidores confiáveis. Isso é extremamente importante.

Já ouvi muitas pessoas falar coisas como: "Tenho meu WordPress, tenho meu servidor pelo qual pago 20 reais por mês e estou feliz com isso". O que posso comentar a esse respeito é que tive diversos clientes que pensavam assim e tiveram grandes problemas. E, quando optaram pelos serviços do KlickPages, as dificuldades acabaram e os resultados saltaram aos olhos.

Guardo na memória até hoje um depoimento do empreendedor digital Romualdo Cronemberger, responsável pelo sucesso do Top Afiliado. Ele certa vez disse: "Eu fazia as coisas de maneira muito rudimentar. Contratava um servidor baratinho para poder hospedar as páginas, e aconteceu de fazer um lançamento e ter uma quantidade de tráfego enorme para aquela página – que estava naquele servidor baratinho. E, claro, o servidor simplesmente não aguentou e caiu. O servidor caiu justamente no momento em que abriu o carrinho. Levei entre dez e quinze minutos para fazer com que ele voltasse. E isso, naquele momento em que eu estava, com o carrinho aberto para o lançamento, provavelmente me custou algumas dezenas de milhares de reais de vendas que se perderam. Aquele servidor baratinho, de menos de 20 reais por mês, acabou saindo muito caro".

Portanto, quando você for escolher uma ferramenta, tenha a certeza de que ela foi construída em cima de servidores confiáveis, que aguentam grande quantidade de tráfego. E precisa ser uma ferramenta fácil de integrar com o seu e-mail marketing – afinal, você está construindo sua audiência.

Lembre-se: a sua audiência, tanto de *leads* quanto de clientes, é o maior ativo que você tem. Desse modo, procure construí-la em cima de uma plataforma que você controle: sua lista de e-mails.

Outra dica importante: sua ferramenta tem de ter uma equipe de suporte que o ajude de forma eficiente, de preferência por *chat*, porque, às vezes, quando a coisa está pegando ali, ela deve ser fácil de usar. Por quê? Você vai precisar criar várias páginas – e diferentes versões da mesma página – para testar qual converte mais.

Vamos ver alguns exemplos de chamadas para páginas:

a) "Vídeo revela como conseguir remover os cinco obstáculos que o impedem de fazer uma venda."
b) "Veja quais são os cinco obstáculos que o impedem de fazer uma venda."

Qual dessas duas chamadas você acha que converte mais? Na verdade, você deve testar para saber a resposta. Por isso que eu digo que você tem de gerar diferentes versões da mesma página para fazer essa avaliação.

E quando tiver um problema ou uma dúvida em relação ao uso da sua ferramenta, é fundamental ter um suporte pronto a ajudá-lo de maneira eficiente. Em um negócio on-line, tempo vale dinheiro! Seu tempo vale muito, então você precisa ser capaz de resolver o problema rapidamente.

Agora, se você é um cara técnico que optou por comprar um *plug-in*, instalar esse *plug-in* e configurar isso no seu servidor, provavelmente não terá suporte. E, mesmo que tenha, ele não vai poder ajudá-lo de forma eficiente porque não sabe em que servidor você o colocou – se foi um servidor que só funciona no Brasil, enquanto o seu *plug-in* é da Alemanha, por exemplo.

Enfim, são tantas variáveis que você simplesmente não vai conseguir ter um suporte realmente eficaz. E se você fizer a coisa "na mão", ou seja, parar para entender como o *plug-in* foi programado e de que forma deve se configurar para resolver a questão, levará horas e horas. Por isso, insisto: não caia na armadilha de entrar no papel de técnico no seu negócio. A ferramenta certa deve lhe dar o suporte ideal.

Uma boa equipe de suporte sabe atuar com rapidez e conhecimento pleno do funcionamento do marketing digital. O profissional que vai atendê-lo está treinado para resolver seu problema e também para ajudá-lo com suas dúvidas.

Pode acontecer, por exemplo, de você esbarrar numa dificuldade – graças a um botão que você não viu no Painel de Controle – e, em vez de demorar horas procurando, achando que é um problema, você abre um *chat* e o técnico do suporte resolve no mesmo instante.

Quando Erico e eu começamos a trabalhar nesse ramo, quebrávamos muito a cabeça com os obstáculos da parte técnica do negócio, até que percebemos que nossa missão era muito maior do que aquelas dificuldades. Nós desejávamos fomentar o empreendedorismo no Brasil e, para isso, tínhamos de contar com uma grande equipe.

Profissionais que pudessem desenvolver ferramentas que solucionassem tantos desafios referentes à tecnologia para o empreendedor. Isso porque não existia no mercado nenhuma empresa que oferecesse esse tipo de produto ou serviço.

Foi quando montamos nossa equipe e investimos na criação de uma ferramenta própria, que hoje chamamos de KlickPages. Estou falando de uma ferramenta que coloca todo o poder do nosso time a seu favor. Temos 27 profissionais contratados com carteira assinada, que operam *full time* dentro da nossa empresa e crescem junto com a gente.

O KlickPages foi construído em cima dos servidores da Amazon, que, basicamente, são os servidores que os gigantes da internet usam: o Waze usa Amazon, a Amazon usa Amazon, o Google tem boa parte dos serviços dele em cima dos servidores da Amazon, mas não adianta você simplesmente falar: "Vou comprar no servidor da Amazon". Você tem de ter gente especializada para poder adaptar a aplicação de forma eficiente para aquele servidor. E nós temos uma equipe inteira só para cuidar da infraestrutura, porque entendemos quão importante isso é!

Nós estamos o tempo inteiro no campo de batalha, então sabemos exatamente do que os empreendedores digitais precisam, identificamos os maiores obstáculos e, assim, focamos o desenvolvimento e o aperfeiçoamento de ferramentas específicas para nossos usuários. E saiba que, independentemente de você querer se tornar nosso cliente ou não, você precisa assumir o papel de empreendedor no seu negócio, e não o papel de técnico. E essa ferramenta vai lhe auxiliar nisso, assim como está ajudando toda a nossa base de clientes.

Enfim, espero que o conhecimento partilhado aqui tenha agregado valor ao seu projeto de empreendimento digital. Martelei bastante a questão dos papéis (de técnico e de empreendedor) porque isso é realmente importante e deve ficar claro na sua cabeça.

Dedique toda a sua atenção ao papel de empreendedor de maneira que desenhe estratégias, analise as ações para seu marketing, crie produtos diferenciados, foque o relacionamento com sua audiência, e assim por diante. Troque o papel de técnico braçal pela aquisição de ferramentas eficazes.

É para isso, afinal, que existe software no mundo: eliminar a necessidade da operacionalização técnica e deixar o empreendedor envolvido e engajado com o que realmente importa, que é a parte da visão intelectual do seu negócio.

Seja determinado e siga em frente na construção das suas páginas de inscrição e de vendas, lembrando-se sempre de que o grande mentor e pensador do seu negócio é você!

Lições Aprendidas

Você pode assumir dois papéis em seu negócio on-line: o de empreendedor, aquele que possui a visão estratégica para alavancar resultados, ou de técnico, o que coloca a mão na massa para a construção e a manutenção da estrutura técnica.

Não é possível assumir, fazer bem-feito e manter o foco em dois papéis ao mesmo tempo. A recomendação é que você assuma o papel de empreendedor e delegue o de técnico.

Se você gastar mais tempo fazendo a parte técnica do que sendo empreendedor, existe alguma coisa errada. Somente atuando no papel de empreendedor você vai construir ativos para alavancar seu negócio.

As duas páginas mais importantes do seu negócio:

1. Página de inscrição: em que se oferece uma recompensa em troca do e-mail das pessoas. É a interface poderosa para a construção da sua Lista.
2. Página de vendas: na qual a pessoa compra o seu produto ou serviço.

Grande sacada: ter várias – talvez dezenas de – páginas de inscrição, e não apenas uma. O modelo de página que converte melhor pode variar conforme o tipo de tráfego.

É preciso ter em mente que diferentes fontes de tráfego levam a diferentes páginas.

Grande sacada: ter várias páginas de vendas conforme o tipo de tráfego.

Melhor caminho para construir páginas: usar ferramentas adequadas e poderosas em vez de contratar uma equipe de desenvolvimento.

Seu maior ativo, ou seja, sua Lista, precisa ser construída com esmero. É bom ter cuidado com ferramentas e evitar contratar as que não são adequadas, pois pode ser "o barato que sai caro".

A ferramenta precisa oferecer suporte adequado ao seu trabalho de empreendedor digital.

Construa suas páginas de forma estratégica, usando a ferramenta adequada, que o mantenha com a função de empreendedor, e não a de técnico. Mantenha a visão intelectual do seu negócio.

Final de mais um capítulo. E agora acesse o material extra relativo ao capítulo do Hugo Rocha no **www.conaed.com.br/negociosdigitais-hugorocha**. Aproveite! ■

CAPÍTULO 11

CRIANDO RELACIONAMENTO E VENDAS POR MEIO DE E-MAIL MARKETING

Maicon Rissi

Agora que você acabou de ler o capítulo do Hugo Rocha e já sabe da importância da página de inscrição (também conhecida como página de captura), é hora de saber como se relacionar por e-mail com as pessoas inscritas em sua Lista. E, para ensinar isso a você, convidei dois grandes especialistas no assunto: Maicon Rissi e Rogerio Job, autores deste e do próximo capítulo, respectivamente. Para ter uma ideia, Maicon Rissi possui um ano inteiro de relacionamento automatizado com sua audiência. Ou seja, ele possui sequências automáticas tão bem construídas que ele pode deixar as coisas no piloto automático e mesmo assim aumentar a reputação e as vendas com seus seguidores. O trabalho do Maicon é a prova de quanto a internet pode facilitar a vida dos empreendedores e, ao mesmo tempo, ampliar o retorno financeiro. Não à toa, Maicon Rissi é reconhecido como um dos grandes nomes do marketing digital brasileiro. Então, é hora de você aprender com Maicon como gerar engajamento com sua Lista. Vamos lá!

ALAN PAKES

Sabe aquele dia em que você acorda e pensa: "Vou jogar tudo para o alto, vou dar uma virada na minha vida porque estou cansado de fazer tudo certinho e nunca conseguir alcançar uma qualidade de vida ideal e uma situação financeira estável"? Pois é, aconteceu comigo.

Em meados de 2011, cansado de trabalhar no mundo off-line sem grandes perspectivas de futuro, decidi mudar as coisas. Passei a atuar de maneira profissional como afiliado – indico produtos e serviços de outras pessoas e, para cada venda, para cada ação feita através da minha indicação, recebo uma comissão.

Atualmente, tenho ajudado centenas de milhares de pessoas que possuem interesse em ingressar no negócio de afiliados de maneira profissional. Esse é um ramo muito atraente por proporcionar ao empreendedor mais liberdade e qualidade de vida. Com um computador e uma conexão com internet, você pode trabalhar em casa ou em qualquer lugar do mundo.

Neste capítulo, você vai aprender a usufruir de todas as vantagens que uma ferramenta de e-mail marketing pode proporcionar para alavancar resultados mais rápidos e enérgicos dentro do seu ramo de atuação em vendas – seja on-line, seja física.

Você verá, na prática, como promover uma verdadeira transformação na maneira como vem administrando e investindo no planejamento do seu empreendimento perante o mercado.

E uma das estratégias que mais poderá auxiliá-lo nessa jornada é o e-mail marketing, ferramenta muito utilizada pelos grandes profissionais do marketing digital e também de outros nichos, o que atesta realmente sua funcionalidade.

É de extrema importância que você entenda que o e-mail marketing não tem nada a ver com *spam*. Geralmente, os *spams* são e-mails com anúncios de venda de produtos ou serviços cujo remetente não tem a permissão do usuário para chegar até sua caixa de entrada.

Portanto, jamais compre uma lista com milhares de e-mails prontos para ser enviados com a prática de marketing digital da qual estou falando. Se você comprar uma lista de e-mails e passar a enviar anúncios dessa forma, certamente estará operando no envio de *spams*, o que o levará a perder clientes em potencial, uma vez que escolheu a maneira mais automática possível – encaminhar uma mensagem que seu avatar não solicitou, oferecendo produtos que ele talvez nem saiba para que servem.

Desse modo, é fundamental que você só trabalhe com e-mails de pessoas que o conhecem de alguma forma e solicitaram o envio de suas mensagens ao se cadastrar na sua lista de contatos.

Depois de esclarecido que e-mail marketing não é *spam*, sigamos! Para saber como funciona o e-mail marketing é necessário que você saiba exatamente quem é seu público (avatar), qual o perfil que ele apresenta (faixa etária, sexo, estilo de vida) e o que ele espera de você (quais são as soluções para as dificuldades dele).

Para isso, você deve adquirir um conhecimento amplo do seu nicho de atuação. Adestramento de cães, emagrecimento, marketing digital, curso de línguas, são alguns exemplos de nichos. E para cada um deles existe um perfil preestabelecido. Sua função como empreendedor é obter o maior número de detalhes possíveis para, quando for montar seu e-mail, conseguir alcançar cada avatar de forma consistente e precisa.

Para elucidar, imagine que seu nicho seja o de emagrecimento. E seu público sejam mulheres que querem uma vida mais saudável e um corpo com o qual se sintam confortáveis para colocar um biquíni e ir à praia.

No entanto, vamos supor que elas trabalham o dia todo e cuidam dos filhos e do lar, e por isso não têm tempo para ir à academia. Somente com essas informações é possível fazer definições precisas, como, por exemplo: é um público feminino, portanto, seu e-mail deverá ter características que consigam atingi-lo. Apesar de elas não terem tempo para malhar em academia, desejam uma vida mais saudável.

Com base nesses dados, você criará seu material voltado exclusivamente para esse avatar. É preciso que ele seja gratuito e de fácil entendimento. Você pode gravar um áudio ou um vídeo, criar um arquivo em PDF, enfim, você tem de criar algum material que seja um chamativo para seu público e colocar nele um título bem atraente. Por exemplo: *Aprenda quais são os 3 passos para você emagrecer e ter um corpo saudável, sem precisar ir à academia, com exercícios de apenas 7 minutos por dia*. Essa chamada está oferecendo uma coisa que é de muito interesse do seu público, uma vez que não tem tempo para ir à academia e quer justamente isso: uma vida mais saudável.

Em contrapartida, você pedirá o e-mail dessa pessoa, através de uma página da internet que chamamos de página de captura (Squeeze Page). Pois é a partir do e-mail que você começará a desenvolver um relacionamento com ela. Poderá enviar dicas e tentar conhecê-la mais profundamente e saber com exatidão do que ela está precisando.

Depois de conhecer e se relacionar com o seu público e ele entender que você está disposto a ajudá-lo, automaticamente conquistará a confiança de boa parte dele. E, por ter confiança, fica muito mais fácil vender algo simplesmente porque a pessoa acredita nos benefícios do seu produto/serviço. Podemos dizer então que o famoso boca a boca é uma boa maneira para conquistar a confiança do avatar. Pois, se ele recebeu uma indicação do seu produto, é muito provável que ele vá experimentá-lo, tendo em vista que a referência veio de uma pessoa de sua confiança.

No e-mail marketing acontece a mesma coisa: você precisa se concentrar em ganhar a confiança das pessoas que o seguem, que cadastraram seus e-mails para receber o material gratuito que você ofereceu. E assim você vai se tornar autoridade perante esse público que o acompanha. Ser "autoridade" não significa exercer algum cargo de poder no seu país ou no mundo (carreira militar, chefe de Estado, entre outras), mas sim ser capaz de fazer com que determinada pessoa tome a ação que você deseja porque ela confia em você e sabe do seu nível de competência.

É importante também que você tenha ciência de que essa autoridade só acontece com as pessoas que estão dentro do seu nicho, pois as demais, por não terem interesse, não são atingidas pelo seu conteúdo. Um bom personal trainer, por exemplo, só terá influência e autoridade com pessoas que estejam interessadas em algum tipo de atividade física. Ele pode ser o melhor personal do planeta, mas não será influente para uma pessoa que não tem interesse em fazer exercícios.

E, quando você tem autoridade, consegue fazer vendas, indicar um produto ou um serviço com facilidade. Um caso real seria o Ronaldinho Gaúcho, que é um jogador de futebol reconhecido praticamente no mundo todo, fazer uma campanha na qual indique algum produto. A tendência é a de que esse produto tenha muitas vendas – principalmente se for relacionado com futebol, pois o Ronaldinho Gaúcho é uma autoridade nessa área.

Portanto, seja uma autoridade no seu mercado e com certeza seus resultados serão impactados de maneira muito consistente. Pois você atingirá pessoas realmente dispostas a comprar seu produto/serviço e "vestir a camisa" da sua proposta.

Agora que já aprendeu como funciona o e-mail marketing, eu gostaria de compartilhar com você duas vantagens para quem trabalha diretamente com ele. A primeira é a de que o empreendedor tem total controle das pessoas que o seguem graças à lista de e-mails em que elas se cadastram. E, como vimos anteriormente, com esse endereço eletrônico, é possível estabelecer contato com cada avatar individualmente, aumentando, assim, o nível de confiança dele.

Não é raro acontecer de o empreendedor se inscrever em uma rede social (Facebook, Twitter, YouTube etc.) e, por algum motivo, ser expulso dela (pois quem a controla são os administradores, e não o usuário). Se ele não tiver um e-mail marketing e usar somente a rede social, perderá todos os contatos que possuía sem ter como oferecer a eles um novo meio de comunicação. Por isso, aconselho que você tenha sempre várias estratégias para suprir algum imprevisto, principalmente se ele estiver relacionado aos seus contatos diretamente.

A segunda grande vantagem está ligada à relação custo-benefício dele. Não é tão caro para você manter uma plataforma de e-mail marketing. Possivelmente terá de investir em outras ferramentas para mantê-la funcionando, contudo, o retorno é muito maior que o investimento inicial. Imagine que você tenha uma Lista de 10 mil pessoas e, ao enviar um e-mail para ela, totalize 100 vendas. E isso com o envio de um único e-mail!

Algo muito interessante que você pode usar nesse tipo de ferramenta é programar e-mails para ser enviados automaticamente (AutoResponder) de acordo com o tempo de cadastro ou ações do usuário. Por exemplo: podemos configurar o e-mail 1 para ser enviado assim que o usuário se cadastra, o e-mail 2, quatro dias após o cadastro, o e-mail 3, oito dias após o cadastro etc. Independentemente da data do cadastro do usuário, o sistema enviará os e-mails em dias diferentes para cada pessoa. Essa funcionalidade ajuda bastante por você não ter de ficar enviando manualmente cada e-mail.

Caso você queira avisar seus contatos sobre determinada notícia, novo vídeo ou algo relacionado, também poderá enviar ou agendar uma campanha (*broadcast*) em determinado dia e horário. Assim, podemos observar que uma ferramenta de e-mail marketing pode trabalhar praticamente 100% para nosso benefício.

E agora que compreendeu a função e as vantagens do e-mail marketing, deve estar se perguntando como poderá usufruir dele. Posso lhe dizer que existem muitas ferramentas de e-mail marketing disponíveis no mercado e, ao escolher a sua, recomendo que seja uma que não suporta a importação de e-mails.

Quando você está trabalhando nela, provavelmente outras pessoas também estão, e, se a sua ferramenta aceitar a importação, qualquer uma dessas pessoas poderá cadastrar uma lista de e-mails nela e enviar aos seus contatos. Com isso, seu avatar vai receber o "famoso e indesejado" *spam*. Então, o ideal seria utilizar uma que impeça esse tipo de atuação para garantir que somente seu e-mail seja entregue a seu destinatário.

Outra forte recomendação que lhe faço é trabalhar com uma ferramenta que tenha a dupla confirmação. Essa função envia um e-mail automaticamente para a pessoa que se cadastrou em sua Lista, o qual solicita que ela confirme esse cadastro através de um link. Ao tomar essa ação e confirmar, seu avatar reforçará o interesse dele no seu produto e você poderá trabalhar com uma segurança maior.

É importante analisar também se possui recursos que o auxiliarão quando você já estiver trabalhando. Por exemplo, se ela tem Teste A/B (que é você mandar dois ou mais e-mails com assuntos diferentes para verificar qual terá maior número de cliques/abertura) ou se lhe fornece as estatísticas (porcentagens de e-mails e links abertos).

Sua página de captura de e-mails tem de oferecer alguma coisa que seja de interesse do seu público. E nessa página você também pode fazer vários testes para ver qual opção atrai mais seu avatar. Tais como: mudar a imagem do fundo, a cor do botão do formulário de captura, o modelo da página etc. Essas são ações de extrema importância porque o ajudam a entender o que converte mais.

Você também pode testar os tipos de páginas de captura: pode fazer uma página padrão, simplesmente com uma chamada, um título atraente para seu público e um formulário embaixo, ou criar uma página que contenha uma pesquisa.

É importante que essa ferramenta tenha fácil integração com sua ferramenta de e-mail marketing e que seja fácil de você também trabalhar com ela.

Depois que você escolher sua ferramenta de criação de página, você tem de, mais uma vez, conhecer bem o público que deseja atingir. E você vai oferecer alguma coisa que seja de interesse para ele na sua página de captura. É muito importante conhecer também sobre gatilhos mentais, pois com eles você diminuirá a probabilidade de não conversão.

Por exemplo, sei que você quer emagrecer e digo: "Você quer emagrecer? Vou te dar uma dica bem legal". Ou você prefere que eu diga assim: "Olha, sei de uma estratégia que vai fazê-lo perder 7 quilos em 2 dias. Você quer aprender essa estratégia?". Percebe que essa segunda situação ficou muito mais forte e atraente? Isso aconteceu porque usei o gatilho mental da especificidade. Mostrei quantos quilos vai perder e em quanto tempo.

Existe um livro chamado *As armas da persuasão* que fala bastante sobre gatilhos mentais, mas há também outros materiais na internet ou em outros livros que você pode pesquisar.

Ao criar uma sequência de e-mails, você define um tempo (pode ser por um ano, por exemplo) que a pessoa cadastrada em sua Lista receberá periodicamente seus e-mails. Com isso, você conecta o gatilho da curiosidade, pois ela fica na expectativa de saber qual o próximo conteúdo que receberá, e também o da antecipação, pois ela sabe e espera por um novo e-mail.

Vou lhe fornecer agora algumas dicas de como criar e escrever seus e-mails em sequência. A primeira delas é que você tenha muito bem definido em sua mente que, ao enviar um e-mail, precisa fornecer algum conteúdo que seja de interesse do seu avatar.

Se na primeira mensagem ele não "ganhar" nenhum tipo de informação relevante, é muito provavel que não abrirá nenhum outro e-mail seu. Obrigatoriamente, cerca de 80% do que você envia precisa ser com conteúdo (informações, pesquisas etc.).

Dessa forma, você conquista a confiança do seu avatar e passa a ter autoridade sobre ele. E, somente em 20%, você vai fazer alguma oferta, vender algum produto ou serviço. No entanto, não recomendo que você tente vender. Pois a melhor forma de conquistar seu avatar é fornecer dados que comprovem que, ao adquirir seu produto, ele será beneficiado e terá sua vida transformada.

É importante também definir apenas um tipo de pessoa que deseja atingir. Por exemplo: público feminino que tenha de 30 a 45 anos, trabalhe (geralmente como empresária), não disponha de tempo para ir à academia, mas goste de cuidar do corpo.

Então, quando você for escrever o e-mail, faça isso pensando nessa pessoa e fale diretamente com ela. Pode ser que outro tipo de pessoa se identifique também, no entanto, é fundamental pensar no seu avatar. Ao redigir a mensagem, utilize os gatilhos mentais para se aproximar de seu leitor. Evite tons e imagens formais. Seja pessoal! Isso fará com que o avatar sinta sua verdade e sua aproximação.

Aconselho você a usar seu nome, e não o da sua empresa somente. Evite também formatações muito elaboradas e parágrafos e textos logos. Faça sempre uma revisão na gramática e na ortografia do texto para eliminar possíveis erros. Além disso, é importante que direcione a linguagem do seu texto de acordo com o seu público (jovem ou adulto).

Recapitulando, no seu e-mail você enviará, de maneira mais pessoal possível, conteúdos que sejam capazes de prender a atenção do seu avatar e fazer com que ele tome a ação que você deseja. E, para garantir que ele abra seus demais e-mails, deixe um "gancho", que diga, por exemplo, que no próximo e-mail você revelará uma estratégia que o ajudará a atingir um objetivo específico.

Utilize também os recursos da ferramenta de e-mail marketing, como o Teste A/B, as estatísticas e também aquele que informa em quais dias seu avatar abre mais os e-mails. Por exemplo: há nichos cujos melhores dias são terça e quinta, então você poderá enviar e-mails somente nesses dias, e assim por diante.

Outro bom indicador é você ver se as pessoas estão respondendo seus e-mails. Pois, a partir disso, você saberá se está ou não agradando seu avatar.

A métrica mais importante é a conversão (vendas, cadastro etc.), pois é ela que traz o retorno do seu trabalho. Não adianta ter uma lista enorme de pessoas, um e-mail todo estruturado e não gerar conversão.

É sempre muito importante também variar as fontes de tráfego, porque de nada serve ter uma página de captura bem-feita, oferecer alguma coisa que seja de interesse do público se não há pessoas que acessam sua página. Portanto, tenha canais diferentes para se comunicar com seu avatar e atraí-lo para você. Você pode comprar artigos em blogs e sites relacionados ao seu nicho de mercado, ou adquirir espaço publicitário em portais grandes – existem diversas maneiras de gerar tráfego. E, se você tiver blog, é muito importante variar as disposições de captura (topo, barra lateral, pop-up etc.).

Enfim, se você for analisar os grandes profissionais do marketing digital e talvez até de outros nichos, eles usam e-mail marketing. Existem várias pessoas que geram reputação, clientes e muito dinheiro usando o e-mail marketing.

Para concluir, desejo que você consiga impactar muitos clientes e que eles possam converter como você espera, transformando, assim, todo o seu mercado. Se realmente se determinar a isso como um objetivo de vida, você se tornará uma pessoa de sucesso. Dizem por aí que a maioria das pessoas desiste antes mesmo de fracassar, portanto não seja uma delas: insista! Seja teimoso! O sucesso está ao seu alcance.

Lições Aprendidas

Envie e-mails apenas para pessoas que solicitaram mensagens. E-mail marketing não é *spam*! *Spam* é o envio de e-mails comerciais sem a autorização dos destinatários.

Para fazer um bom e-mail marketing é preciso saber exatamente quem é o público-alvo (representado pelo avatar), qual é o seu perfil: idade, sexo, estilo de vida, seus sonhos e aspirações, seus medos e dificuldades e quais as soluções de que ele precisa. Através do conhecimento do perfil do avatar, você deve criar material voltado exclusivamente ao seu público. E então solicitar o e-mail das pessoas em troca do material gratuito.

Você cria relacionamento com o público através de e-mail e busca conquistar a confiança dele. Com a confiança conquistada, as pessoas estarão mais propensas a aceitar as indicações de produto que você faz.

Vantagens do e-mail marketing:

- Total controle: a lista de e-mails é sua propriedade (diferentemente de perfis em redes sociais, cuja propriedade é das redes sociais).
- Relação custo-benefício: plataformas de e-mail marketing são acessíveis.

Duas formas de envio de e-mail marketing:

- AutoResponder: e-mails programados para disparo automático de acordo com o tempo ou a ação do usuário.
- *Broadcast*: e-mails enviados em massa em determinado dia e horário.

Recomendação para a escolha de ferramentas de e-mail marketing: aceitar confirmação dupla para cadastro na Lista, possuir a funcionalidade de Teste A/B.

A página de captura deve oferecer alguma coisa que seja de interesse do seu público.

Em sua sequência de e-mails de relacionamento:

- O conteúdo deve ser de interesse do avatar.
- A primeira mensagem deve fazer com que seu avatar "ganhe" alguma informação relevante para ele. Caso contrário, ele provavelmente não abrirá seu próximo e-mail.

Quando fizer alguma oferta ao avatar é preciso comprovar como ele será beneficiado, como a vida dele será transformada ao adquirir seu produto.

Utilize gatilhos mentais para se aproximar do seu leitor.

Seja pessoal! Evite comunicação e imagens formais. Isso prende mais a atenção do leitor.

Para aumentar as chances de abertura do seu próximo e-mail, deixe um "gancho" que diga, por exemplo, que no próximo você vai apresentar uma estratégia para que a pessoa atinja um objetivo específico.

Avalie as estatísticas para saber quais são os dias e os horários em que seu público mais abre seus e-mails, quais assuntos despertam mais interesse e engajamento e sua conversão (de vendas, cadastros etc.).

É importante variar as fontes de tráfego. Tenha diferentes canais para atrair o público até você.

Lembre-se: "As pessoas desistem antes mesmo de fracassar. Não seja uma delas: insista! Seja teimoso! O sucesso está ao seu alcance".

E agora acesse o **www.conaed.com.br/negociosdigitais-maiconrissi** e confira o bônus especial do capítulo do Maicon Rissi. ■

CAPÍTULO 12

AS 5 PRÁTICAS DO E-MAIL MARKETING DE EXCELÊNCIA

Rogerio Job

Continuando com o tema de relacionamento com as pessoas inscritas em sua Lista e em e-mail marketing, este capítulo foi escrito por um verdadeiro "dinossauro" do marketing digital. Rogerio Job é um dos precursores desse mercado no Brasil. Seus anos de estrada o qualificam como um verdadeiro guru nesse meio. Com sua vasta experiência, organizou este capítulo de forma extremamente funcional para você ampliar o número de pessoas na sua Lista e a abertura dos seus e-mails e também aumentar suas vendas. Certamente, o conteúdo é valiosíssimo no que se refere à utilização do real poder da internet nos seus negócios, pois as dicas são muito práticas. Mãos à obra!

ALAN PAKES

Você já parou para pensar que no empreendedorismo digital existem pessoas que conseguem atingir uma grande lucratividade e outras que não alcançam os resultados esperados?

Isso acontece por vários motivos, e um deles é justamente a falta de informações e métodos que as leve a ter resultados. Só para você ter uma ideia do que estou dizendo, entrei nesse mundo on-line em 1997 e somente em 2002 os meus negócios passaram a se tornar bem-sucedidos.

Quando comecei a atuar no meio digital, nada era fácil. Existiam poucas informações sobre o uso da internet para negócios no Brasil, e os recursos tecnológicos eram extremamente precários.

Hoje, após anos de estudos, tentativas, acertos e erros, posso dizer que sou um empreendedor com larga experiência em marketing digital. Essa minha bagagem de conhecimentos está toda reunida nas estratégias que ensino no portal *Empreendedor livre*, que criei para ajudar outras pessoas que, assim como eu, desejam empreender na web de forma assertiva, usando de criatividade e excelência no "modo de fazer".

Há um ditado no marketing digital que diz: "O dinheiro está na Lista". Isso não deixa de ser verdade, mas temos de ir mais fundo nessa questão. Apenas ter uma lista de e-mails não é garantia de sucesso. É preciso saber como aplicar o e-mail marketing, desde como atrair as pessoas certas para a sua Lista até como se relacionar com elas a ponto de ganhar sua confiança e assim poder promover produtos e obter uma resposta positiva.

Neste capítulo, você vai aprender 5 dicas práticas e eficazes para aplicar o e-mail marketing em seus negócios. São ações estratégicas que poderão fazer a grande diferença entre você e as outras pessoas que tentam empreender na internet sem seguir um método comprovado.

Primeira dica: Gerando tráfego com excelência

O princípio do empreendedorismo digital é a criação de uma lista de e-mails que pode começar pequena e ir se expandindo conforme você ganha posicionamento e reconhecimento no mercado.

Existem algumas técnicas que podem alavancar esse processo, e vou lhe ensinar quatro delas. A primeira é o marketing de conteúdo, que consiste na criação de um blog onde você disponibilizará uma série de conteúdos informativos e úteis para seu público-alvo. Esse material on-line pode ter o formato de um artigo, um vídeo, um *podcast* e uma entrevista com outros empreendedores parceiros, entre outros.

O fundamental nessa tática de marketing é que seu blog seja uma ferramenta que agrega um conteúdo atrativo e estimulante que agradará às pessoas que estiverem navegando pela sua página em busca de orientação. Esse conteúdo vai gerar o que chamamos de tráfego orgânico, aquele que ocorre através de sites de buscas como o Google, por exemplo. Explicando de maneira simplificada: uma vez que o Google considere seu conteúdo relevante, ele mostrará seu site nas primeiras posições das buscas quando o usuário estiver procurando pelo mesmo tipo de conteúdo que você oferece em seu blog.

A segunda forma de gerar tráfego é por meio do uso de redes sociais como o Facebook, o Twitter, o YouTube, o LinkedIn, o Pinterest, entre outras, que acolhem um número altíssimo de usuários conectados e ávidos por informação. O caminho é simples: você posta um conteúdo interessante relacionado à sua expertise, redireciona o acesso para o seu site e, consequentemente, captura o e-mail das pessoas.

A terceira técnica certeira para estimular o tráfego pode ser feita através do uso de plataformas como o Hotmart, que lhe dará espaço para comercializar seu infoproduto e ter a colaboração de afiliados que vão trabalhar na geração de tráfego para a venda do seu conteúdo. Isso funciona da seguinte maneira: o lucro das vendas do produto é dividido entre o Hotmart, você e o afiliado, em porcentagens que você determina como quiser. Por exemplo, você pode oferecer 40% ou 50% de comissão para os parceiros que efetivarem vendas do seu conteúdo, e, dentro desse processo de trabalho, eles vão gerar tráfego a seu favor.

A quarta maneira de produzir tráfego é investir em anúncios pagos no Google AdWords ou no Facebook Ads. Nesses serviços você publica um anúncio e paga uma taxa a cada clique que for feito no seu anúncio.

No Google AdWords, há uma grande desvantagem: você não pode redirecionar o clique das pessoas diretamente para uma simples página de captura de e-mails. Você precisa criar uma página com uma razoável quantidade de informações sobre seu produto. Isso faz com que menos pessoas se cadastrem na sua Lista e torna seus anúncios mais caros.

Já a segunda opção, o Facebook Ads, permite o vínculo do anúncio com as páginas de captura de e-mails, sendo, portanto, uma plataforma mais interessante para os empreendedores digitais.

Segunda dica: Criando listas diferenciadas

O grande segredo da criação de listas é capturar e-mails de pessoas que estão interessadas no nicho do qual seu produto faz parte. Ou seja, se você está atuando na área da espiritualidade, por exemplo, não adianta me dizer: "Rogerio, tenho uma lista com 10 mil e-mails que um amigo meu me passou quando ele estava promovendo conteúdos voltados ao emagrecimento".

E sabe por quê? Porque essa lista não tem especificidade. Essas pessoas se cadastraram para receber informações sobre emagrecimento, que é a dor delas. Portanto, meu conselho é que você comece a criar sua Lista focando isso, a dor do seu cliente, que deseja muito saber mais sobre espiritualidade.

É claro que eventualmente algumas pessoas que estão interessadas no emagrecimento podem também ter em comum a curiosidade sobre o mote da espiritualidade, porém você não pode contar apenas com isso.

A Lista diferenciada é aquela que contém e-mails de pessoas que estão, de fato, interessadas pelo seu tema, pelo assunto que envolve seu infoproduto. Costumamos chamar essas pessoas de *leads* (clientes em potencial).

Nesse meio, existem as "*leads* em chamas", que são aquelas pessoas desesperadas por uma solução para seu problema que vão adquirir produtos do primeiro que oferecer ou optar pela compra do mais barato.

Existem, ainda, as "*leads* quentes" – em minha opinião, as mais promissoras –, pessoas em busca de uma solução diferenciada para sua dor, ou seja, aquelas que pesquisam e se informam antes de fazer uma compra.

E também as "*leads* frias", aquelas que não sabem que precisam do seu produto, ou seja, ainda não despertaram para a busca de uma solução para seus problemas.

As "*leads* frias" são muito boas para trabalhar porque geram uma concorrência menor. São pessoas que estão no canto delas – você precisa ir até elas e falar sobre os benefícios que seu produto pode lhes trazer. Muitas, vezes, temos de pegar na mão dessas pessoas e indicar o caminho. Normalmente, mesmo que estejam em estado de passividade, acabam se convencendo se sentirem confiança no conteúdo que está sendo ofertado.

E é a partir desse conteúdo que as pessoas vão começar a confiar em você. Todos os dias, elas vão receber na caixa de e-mail uma parte desse material e, após alguns envios, muitas delas certamente estarão dispostas a adquirir seu conteúdo completo. Você acaba se tornando um nome familiar na caixa de e-mail do seu público-alvo e passa a ser conhecido através do relacionamento que cria com cada pessoa.

Uma coisa importante para saber se estão mesmo acompanhando com interesse seus envios é aprender a explorar os recursos da sua ferramenta de e-mail marketing. Através dela, você pode ver se seu avatar está abrindo o e-mail e se está clicando nos links enviados, entre outras coisas.

Portanto, meu conselho é: siga "as pegadas" de suas *leads*, esteja atento às mensagens que mais agradam e às que têm pouca visualização e, dessa forma, você se aprofundará cada vez mais nas táticas para se comunicar com o público da sua Lista e terá a chance de aprimorar cada frase e cada material que produz.

Terceira dica: Criando um *copywriting* persuasivo

Quando se fala em *copywriting*, existem 5 gatilhos psicológicos da influência que, ao ser aplicados, transformam as mensagens de e-mail que você envia em textos extremamente persuasivos.

O primeiro gatilho psicológico da influência é a reciprocidade. A primeira coisa que você precisa ter em mente é: não repasse todo seu conteúdo nos e-mails que cria. Use a tática de transmitir uma mensagem curta, direta e precisa que contenha um link no final, que direcionará as pessoas para seu blog. Lá, elas poderão ter acesso a um vídeo novo ou um artigo com dicas imperdíveis. Dessa forma, elas se sentirão gratas, comentarão e algumas poderão até compartilhar seu blog com amigos, de maneira que geram a corrente que chamamos de "conteúdo viral".

Além disso, segundo a lei da reciprocidade, chegará a hora em que muitas dessas pessoas estarão tão envolvidas com as informações que você fornece de graça que acabarão por comprar seus produtos – aí as vendas começam e não param mais.

O segundo gatilho psicológico da influência é a autoridade. As pessoas precisam conhecer sua história, saber dos passos que deu, dos erros, dos acertos etc. Sua trajetória profissional tem muito valor, e grande parte do seu público-alvo vai se sentir mais confiante em comprar um infoproduto seu depois que souber de tudo o que já fez para hoje ser alguém respeitado e com um conteúdo de qualidade a oferecer.

Outras coisas que lhe dão autoridade são os depoimentos de pessoas que já compraram seu produto, já aplicaram seu método e obtiveram bons resultados. Portanto, sempre que possível, grave depoimentos com seus clientes já fidelizados ou peça a eles que deixem comentários e mensagens no seu blog que atestem a eficácia do que você disponibiliza.

E, por último, vale ressaltar que artigos assinados por você que foram publicados em revistas, sites, blogs e outros veículos de comunicação, que dialogam com seu nicho de mercado, também são importantes e contam muito nesse quesito da construção da autoridade.

O terceiro gatilho psicológico da influência é a escassez, que se subdivide em escassez de tempo, de quantidade e de bônus. Veremos, a seguir, como funciona cada um deles.

Para começar, você pode fazer um bom uso da escassez de tempo quando delimita a quantidade de horas em que uma oferta irresistível vai ficar disponível na sua página de venda. O destaque do texto que estará agregado à sua promoção será algo como: "Essa oferta é válida até meia-noite do dia [especifique a data]! Não perca tempo!".

A pressão psicológica acabará levando muitas pessoas a comprar seu produto por temerem que, após aquele prazo, o preço mude ou o produto fique indisponível. Dentro dessa linha de raciocínio, a escassez de quantidade também é uma válvula poderosa para estimular as vendas. Ela consiste na ideia de que o número de produtos é limitado. Um exemplo interessante seria o caso do profissional de coaching que está vendendo vagas para um treinamento. Ele avisa que só existem 100 vagas disponíveis. Com medo de perder essa chance, muitas pessoas vão clicar no botão de compra a fim de obter aquela oportunidade que já buscavam anteriormente.

Por último, abordo a escassez de bônus, que também funciona como um gatilho psicológico de perda. No texto da oferta, você vai colocar algo como: "Eu tenho um bônus especial para você". Em seguida, você descreve seu bônus e os benefícios dele. E então você continua: "Contudo, ele só estará disponível para as 30 primeiras pessoas que se inscreverem nesse treinamento". Então, por medo de perder o bônus, as pessoas acabam comprando naquele momento o que você está oferecendo.

As 3 ações estratégicas que se utilizam da escassez servem para que as pessoas não deixem para amanhã a ação de adquirir algo que procuram e de que precisam. É a velha história: "Quem pensa muito não faz nada".

O quarto gatilho psicológico da influência é a simpatia. Dois fatos devemos considerar: o e-mail foi originalmente criado para o contato pessoal e no computador da *lead* só há uma pessoa lendo. Em vez de usar uma linguagem formal, devemos utilizar uma linguagem bem próxima da informal, como se estivéssemos falando com um amigo. Por exemplo, se estivermos na época da Páscoa, não importa o conteúdo da mensagem, mas na despedida podemos colocar algo como "Feliz Páscoa para você!". Pense também em coisas mais criativas, como inserir uma saudação como esta: "Visto que hoje é sexta-feira, desejo a você um excelente final de semana!".

O segredo desse gatilho é se mostrar como um ser humano para seu público e apostar na simplicidade. Por exemplo, no lugar de assinar com um "cordialmente" ou "atenciosamente", você pode simplesmente mandar "um abraço" no final da mensagem, caso sinta que seu nicho de mercado será receptivo a isso.

E, por último, vamos tratar do quinto gatilho da influência, que é o comprometimento e a consistência das pessoas que aceitaram entrar para sua Lista. A partir do momento em que elas passam a receber um conteúdo de qualidade e ele agrega valor à vida delas, elas permanecerão comprometidas com o propósito de seguir seu método e aplicar suas dicas e orientações.

Costumo comparar esse gatilho ao passo a passo de um namoro que se transforma em noivado e depois passa para a etapa do casamento. Quando começa a existir um elo de comprometimento e consistência na relação, as pessoas seguirão cada vez com mais afinco e confiança naquilo em que se dispuseram a acreditar.

Do mesmo modo funcionará sua relação com sua Lista: quanto mais aprofundado for o vínculo, mais infoprodutos você será capaz de alavancar no seu carrinho de vendas.

Quarta dica: Os 9 elementos dos e-mails que convertem

1ª) Linha de assunto instigante

Todo e-mail tem um espaço para preenchimento do "assunto" da mensagem, e a frase que você vai colocar ali pode ser decisiva para que as pessoas abram ou não sua mensagem. Portanto, essa frase inicial precisa tocar na emoção das pessoas. Seja por meio da curiosidade, seja por meio de algum outro sentimento. Eu, por exemplo, já usei algumas vezes a linha de assunto "Estou muito triste...".

Essa expressão é uma mostra do que mexe com as pessoas, do que faz com que elas reajam à sua "provocação". O índice de e-mails visualizados com essa frase é sempre altíssimo, porém, cuidado para não abusar do sentimentalismo porque corre o risco de banalizar o que está sendo dito.

Outro fator que gera muitas aberturas de e-mail é quando preenchemos a linha de assunto com algum número. Por exemplo: "Os 3 alimentos que você nunca deve comer" ou "Se quiser emagrecer 3 quilos em uma semana...".

Outra dica para a linha de assunto é trabalhar com interrogativas ou perguntas. Por exemplo: "Recebeu minha mensagem?". Ao ver uma expressão assim na caixa postal, as pessoas vão ficar curiosas e pensar: "'Que mensagem? Será que perdi essa mensagem?". Naturalmente, elas vão clicar para abrir o e-mail e descobrir do que se trata.

2ª) A primeira sentença

Quando as pessoas abrem um e-mail, a primeira frase lida tem de corresponder na mesma medida com a técnica da expressão colocada na linha do assunto. Ou seja, você precisa ser tão persuasivo quanto foi antes.

Para que compreenda melhor, vou dar um exemplo de como eu uso a primeira sentença para converter na abertura. Certa vez, coloquei como linha de assunto: "Meu Skype [quero falar com você]". Muita gente clicou para abrir o e-mail porque, além da linha de assunto instigante, na primeira sentença estava escrito: "Eu nunca tinha feito isso antes, mas você merece minha confiança".

Essa foi a maneira que encontrei de chamar a atenção das pessoas, de mexer com a emoção delas, para que ficassem atentas ao que eu tinha para oferecer. Nessa mensagem eu estava promovendo um produto, e quem o adquirisse naquele dia ganharia um bônus, uma consultoria pelo Skype. A impressão que deu é que eu estava enviando algo muito pessoal, mas o fato é que a mensagem era promocional, e eu estava oferecendo o bônus para alavancar as vendas de um infoproduto.

3ª) Ir ao ponto antes da borda

O terceiro elemento dos e-mails que convertem segue a regra de ir ao ponto antes da "borda". Parece confuso, mas é bem simples: seja direto, vá ao ponto da questão. Na internet, hoje, você tem apenas três segundos para capturar a atenção do leitor. E, quando você a captura, precisa introduzir o assunto rapidamente para não perder a atenção dele.

Os 3 primeiros parágrafos do seu e-mail devem falar do que se trata a mensagem. E, no total, recomendo que ele contenha até 6 parágrafos, todos curtos, e a mensagem deve ir ao ponto principal antes de passar "da borda". Quer dizer, se a pessoa tiver de fazer o *scroll down* (rolar a página até abaixo da borda para entender do que trata sua mensagem), provavelmente a maioria vai desistir de ler.

Na internet, o público opta por dar atenção às mensagens rápidas, escritas de maneira clara, que não tomarão muito tempo. Então, repito, vá direto ao ponto! Você até pode criar uma mensagem mais longa, se houver a necessidade de informar algo em detalhes, mas passe as informações fundamentais nas primeiras linhas, antes da borda, e depois informe os detalhes.

4ª) Foco no assunto e no link oferecido

Sempre recomendo que, na hora de elaborar o texto de um e-mail, os empreendedores do marketing digital foquem apenas um assunto e forneçam somente um link para clicar.

Já foi testado e comprovado que as mensagens de e-mail que abordam vários assuntos ou contêm muitos links acabam por dispersar a atenção do leitor, que, ao visualizar várias possibilidades, acaba deixando para analisar aquilo tudo depois, com calma. E esse "depois" não acontece nunca. Ou seja, você perde seu avatar justamente por dar escolhas a ele.

Portanto, foque um só assunto, com poucas linhas, indo direto ao ponto, e convide-o para clicar em apenas um link. Assim, você dará um norte para ele, como quem diz: "Venha! É por aqui...".

5ª) Miniatura do vídeo

A miniatura do vídeo é uma imagem no corpo da sua mensagem de e-mail que representa o vídeo, ou seja, um *print* dele, usado como link para a página onde o vídeo será de fato exibido. Depois de testes, ficou comprovado que os e-mails enviados com a miniatura do vídeo fixada no corpo da mensagem possuem um índice muito maior de cliques do que as mensagens que contêm apenas texto e um link.

Outro dado interessante para que você tenha êxito utilizando essa técnica é saber que, quando essa miniatura do vídeo contém a imagem do rosto de uma pessoa, ela recebe mais cliques do que qualquer outra (como, por exemplo, a imagem de slides, logomarcas ou desenhos).

6ª) Prover valor

Como já mencionei, treine suas *leads* para que elas passem a clicar nos links que você disponibiliza por e-mail. Portanto, a técnica para redigir mensagens que as levem à ação de clicar é: passar algum conteúdo que agregue valor para essas pessoas.

É importante que fique claro que você vai prover valor de qualquer forma, porém, isso será feito numa página à parte – que pode ser seu blog ou um vídeo do YouTube, entre outras.

E quando as pessoas acessarem seu conteúdo e perceberem que aquilo é útil para a vida delas, com toda a certeza começarão a prestar mais atenção quando virem seu nome na caixa postal. Assim, um relacionamento passa a ser estabelecido e cultivado.

7ª) Os benefícios do produto ofertado

Ao promover um produto, você precisa apontar os benefícios que ele dará às pessoas que o comprarem. Minha dica é a de que você faça uma lista com todas as vantagens, os benefícios e as transformações que o produto é capaz de gerar, em formato de tópicos enumerados, para que seja de fácil leitura.

A mesma ação serve para ofertar um bônus. Deixe claro para seus clientes quais são os benefícios que aquele bônus proverá na vida deles.

8ª) Chamada para a ação

Cada e-mail enviado deve conter uma chamada para a ação. As pessoas não podem simplesmente abrir o e-mail, dar uma olhada e fechar a mensagem, como se nada tivesse acontecido.

Você precisa criar links com chamadas persuasivas para a ação, como, por exemplo, "Leia o artigo completo no meu blog" ou "Assista ao vídeo agora mesmo!".

Lembre-se de que as pessoas estão acomodadas em suas cadeiras ou poltronas e precisam ler algo que as estimule a se movimentar. E, para isso, o texto deve confirmar que clicar ali é algo que vai valer muito a pena.

9ª) Colocar um P.S. no e-mail

Para quem não sabe, P.S. é a abreviação da expressão latina *post scriptum* (escrito depois). Em geral, o P.S. aparece no rodapé do e-mail e dá a sensação de que vamos ler algo importante, que não foi dito na mensagem acima ou que precisa ser enfatizado. Por isso, os olhos são atraídos pelas frases colocadas no P.S., pela via da curiosidade.

Explore bem seu P.S. para reforçar algo que você deseja que seu subscritor fixe na mente. Pode ser um dos benefícios do produto oferecido, pode ser um lembrete sobre o bônus com escassez de tempo etc.

Sabia que existem pessoas que abrem o e-mail e são tão impacientes que só leem a primeira sentença e o P.S.? Pois é! Esteja atento a isso e coloque no P.S. a informação mais importante que sua mensagem contém. Essa pode ser sua única chance de dialogar com os ansiosos.

Quinta dica: As 3 técnicas para turbinar a conversão

A primeira técnica que vou ensinar aqui para acelerar sua conversão consiste no teste de filtro *antispam* (lixo eletrônico). Ele é disponibilizado em ferramentas de envio de e-mail marketing de qualidade, como o Aweber ou o KlickMail.

Para ser mais claro, é importante que você saiba que, antes de enviar uma mensagem, sua ferramenta de e-mail marketing vai lhe apresentar um placar de *spam* que indicará se seu conteúdo está razoavelmente livre de ser considerado *spam* pelos filtros dos provedores de e-mail.

Quanto mais baixo for o placar de *spam* da sua mensagem, menor será a chance de ela ser considerada como tal. No entanto, se a ferramenta apontar um placar alto, recomendo que reveja toda a composição e a formatação da mensagem para que seu e-mail não seja classificado indevidamente como *spam*. O que pode aumentar seu placar de *spam* pode ser, por exemplo, o uso exagerado de acentuação ou letras maiúsculas na linha de assunto, muitas palavras em negrito etc. Às vezes, uma pequena mudança já faz baixar seu placar.

A segunda técnica para turbinar sua conversão consiste num teste que pode ser aplicado a fim de acompanhar os índices das taxas de abertura dos e-mails que são enviados.

O Klickmail, por exemplo, é uma ferramenta de envio que fornece o Teste A/B, também conhecido no mundo do marketing como Split Test. Ele funciona como um medidor do conteúdo que você pretende encaminhar para a sua Lista.

Você pode configurar o teste de várias maneiras, mas um Teste A/B simples funciona da seguinte forma: você cria 2 linhas de assunto diferentes e mantém a mesma mensagem dentro do e-mail. O Teste A/B vai enviar a primeira para 10% da sua Lista e a segunda para outros 10%.

Uma hora depois, você saberá qual das duas teve maior índice de abertura. E, a partir desse resultado, a própria ferramenta de e-mail marketing escolhe a que obteve a linha de assunto mais aberta e dispara para os 80% restantes da sua Lista.

Lembrando que esse é apenas um dos exemplos de uso do Teste A/B. Com o passar do tempo, cabe a você usar esse procedimento de várias outras formas a fim de testar seu conteúdo de e-mail.

Por fim, apresento a terceira e última técnica de conversão, que costumo nomear de "segunda chance". Ela consiste na possibilidade de criação de um segmento da sua mensagem, como, por exemplo, reencaminhar mensagens para um grupo de pessoas que não abriu o e-mail enviado anteriormente.

No Klickmail, existe a opção de escolha dos destinatários, e você pode selecionar e montar diversas listas para encaminhamento de suas mensagens. Esse é um recurso que provê uma segunda chance para que suas *leads* recebam e abram seu conteúdo.

Concluindo, acredito que com todos esses ensinamentos você passará a fazer uso da sua ferramenta de e-mail marketing com muito mais aprimoramento, sabedoria e êxito. Lembrando que a comunicação é fundamental no relacionamento com suas *leads*. Comece já a redigir mensagens, fazer testes e organizar as suas estratégias para alavancar a venda de seus produtos na internet.

Se eu e muitos outros conseguiram, você também conseguirá! Acredite!

Lições Aprendidas

O e-mail marketing funciona desde que se saiba como aplicá-lo. Comece por atrair as pessoas certas para a sua Lista; faça relacionamentos para conquistar a confiança delas, e só então promova os produtos.

As 5 dicas práticas de e-mail marketing:

1. Gere tráfego com excelência: comece com uma pequena Lista e a amplie conforme ganha posicionamento e reconhecimento no mercado.

2. Crie Listas diferenciadas: o grande segredo é capturar e-mails de pessoas que estão interessadas em assuntos do seu nicho.

   Os 3 tipos de *leads*:

   - "*Leads* em chamas": pessoas desesperadas pela solução de um problema.
   - "*Leads* quentes": pessoas em busca de uma solução diferenciada.
   - "*Leads* frias": pessoas que ainda não sabem que precisam de uma solução. São muito boas para trabalhar porque a concorrência é menor.

3. Crie um *copywriting* persuasivo:

   Os 5 gatilhos psicológicos da influência:

   - Reciprocidade. não coloque todo conteúdo no e-mail, transmita uma mensagem curta, direta e precisa com um link no final para direcionar as pessoas para seu blog. Lá, elas poderão ter acesso a um vídeo novo ou um artigo com dicas imperdíveis. Esse conteúdo fará com que se sintam gratas a você.
   - Autoridade: as pessoas precisam conhecer sua história, sua trajetória de erros e acertos até chegar à solução. Sempre estimule as pessoas a fazer depoimentos que atestem a eficácia do que você disponibiliza. Isso também eleva sua autoridade.
   - Escassez: de tempo (a oferta está disponível por um prazo limitado); de quantidade (o número de unidades disponíveis é limitado); de bônus (o bônus está disponível apenas para os compradores que agirem mais rápido).
     - Simpatia: use linguagem informal como se estivesse falando com um amigo. Isso aumenta o engajamento, pois aproxima as pessoas, cria mais conexão.

- Comprometimento-consistência: quando agregar valor à vida das pessoas através do seu conteúdo de qualidade, elas permanecerão comprometidas com seu método e aplicarão suas dicas e orientações.

4. Os 9 elementos dos e-mails que convertem:

    1. Linha de assunto instigante:

        - A frase inicial precisa tocar na emoção das pessoas. Cuidado para não abusar do sentimentalismo para não correr o risco de banalizar o que está sendo dito.
        - Outra forma é usar algum número no assunto: Exemplo: "Os 3 alimentos que você nunca deve comer" ou "Se quiser emagrecer 3 quilos em uma semana...".
        - Perguntas no assunto do e-mail também aumentam a taxa de abertura: Exemplo: "Recebeu minha mensagem?".

    2. A primeira sentença: a primeira frase deve seguir as mesmas técnicas anteriores e estar conectada com o assunto do e-mail.
    3. Ir ao ponto antes da borda: antes da borda significa o conteúdo que aparece na página antes de ser necessário rolar a tela para baixo.

        - Seja direto, vá ao ponto da questão. Os 3 primeiros parágrafos do seu e-mail devem falar do que sua mensagem trata. Use até 6 parágrafos curtos que cubram o ponto principal antes de passar "da borda".

    4. Foco no assunto e no link oferecido: foque somente um assunto e forneça apenas um link para clicar.
    5. Miniatura do vídeo: a miniatura do vídeo é uma imagem no corpo da sua mensagem de e-mail que representa o vídeo. Imagem com rosto de uma pessoa recebe mais cliques.
    6. Provisão de valor: é importante que fique claro que você vai prover valor, porém isso será feito numa página à parte – que pode ser seu blog ou um vídeo do YouTube.
    7. Benefícios do produto ofertado: faça uma lista de vantagens, benefícios e transformações que o produto é capaz de gerar, em tópicos enumerados para facilitar a leitura.
    8. Chamada para a ação: todo e-mail deve conter uma chamada para a ação, um comando para a pessoa dar o próximo passo: "Leia o artigo completo no meu blog..." ou "Assista ao vídeo agora mesmo!".

9. P.S. no e-mail: essa ação gera curiosidade nas pessoas. Explore o P.S. para reforçar o que você deseja que a pessoa fixe na mente. Pode ser um benefício do produto, um bônus, um prazo etc.

5. As 3 técnicas para turbinar a conversão:

    1. Utilize teste de filtro *antispam* (lixo eletrônico) antes de disparar os e-mails.
    2. Faça o Teste A/B das versões dos seus e-mails.
    3. "Segunda chance": segundo envio para as pessoas que não abriram o e-mail enviado anteriormente.

Muito bem, chegou a hora do bônus do capítulo do Rogerio Job. Acesse o bônus a que você tem direito em **www.conaed.com.br/negociosdigitais-rogeriojob**. ■

CAPÍTULO 13

OS 5 PASSOS DO *COPYWRITING*

Rafael Albertoni

Até o momento, você aprendeu a construir sua "casa virtual", a atrair convidados até ela, a se relacionar com os convidados... No entanto, empreendedorismo só sobrevive com vendas. Agora chegou o momento. Para vender, é preciso saber o que falar, quando falar, como falar e para quem falar. E existe uma forma muito poderosa de fazer isso. Ela consiste em colocar as palavras certas, na ordem certa, na hora certa, para persuadir as pessoas a tomar uma ação. Essa técnica se chama *copywriting*. Temos a honra de ter como coautor neste capítulo justamente Rafael Albertoni, o amigo que me abriu as portas do empreendedorismo digital. Com toda a experiência que adquiriu, com os resultados que gerou, com todo o mérito, posso afirmar que o Rafael é um dos melhores *copywriters* brasileiros, senão o melhor. Quer ser bem-sucedido nos seus negócios? Então, máxima atenção agora, em especial quando Rafael citar os 3 focos que todo "script matador" precisa ter.

ALAN PAKES

Parabéns pelo seu interesse em aprender sobre *copywriting*. Saber vender é a habilidade número um em que todo empreendedor deve se especializar. Vender usando as palavras certas é a diferença entre ter um negócio milionário ou sofrer a vida inteira com negócios sem sucesso.

Vamos começar com o que é *copywriting*

Por que ele faz tanta diferença no mundo dos negócios e do marketing?

Para que você inicie um negócio físico ou digital, a principal habilidade que precisa ter é a de vender.

Sei que não são todas as pessoas que têm essa habilidade natural para vendas, porém, quando falamos de negócios na internet, possuímos uma vantagem absurda se compararmos com a venda presencial.

Se você souber o que dizer, quando dizer, como dizer e para quem dizer, se tiver **o conhecimento básico de um *copywriter*,** você vai conseguir vender qualquer coisa para qualquer pessoa! Eu garanto!

E a melhor forma que conheço para ajudá-lo a fazer isso é ensinando o que aprendi sobre *copywriting*, o método de escrever scripts persuasivos que vendem **e funcionam de forma automática**

No mundo digital nós fazemos isso através de um vídeo ou carta de vendas que trabalha para você como uma equipe completa de vendedores nas ruas 24 horas por dia, 7 dias por semana.

Imagine se você pudesse fazer um download para seu cérebro dos anos de experiência que os *copywriters* e os especialistas em marketing têm – e utilizam para vender milhões de reais – e aplicar tudo isso na comunicação com seus clientes hoje?

Imagine se soubesse como dizer exatamente a palavra certa, na hora certa, da maneira certa e para as pessoas certas, todas as vezes que fosse fazer uma venda?

É isso o que vou mostrar aqui: como construir um discurso de vendas perfeito, que funcione sempre e que faça vendas de forma automática causando relacionamento, conexão e até admiração dos seus clientes.

Há cinco anos, li um livro fantástico chamado *O guia de investimentos: o guia do pai rico*, de Robert T. Kiyosaki. Esse livro ensina que criar ativos do zero é a melhor maneira de construir riqueza e prosperidade na sua vida, e, principalmente, que os ativos mais poderosos que você pode criar são aqueles que não dependem da sua presença para gerar renda constante.

Foi nessa época que comecei a pesquisar muito sobre como poderia criar ativos e descobri que algumas pessoas estavam vendendo infoprodutos na internet e tendo lucros absurdos. Então pensei:

"Eu preciso entender disso... Eu preciso aprender a vender infoprodutos."

E o que é um infoproduto?

As pessoas que já conhecem alguma coisa sobre infoprodutos têm uma ideia muito limitada sobre o que é esse tipo de produto e sobre o potencial dele.

Um infoproduto não é só um produto vendido pela internet. Um livro é um infoproduto, uma palestra, uma aula, um webnário, um curso ao vivo, uma consultoria, um plano de coaching, qualquer informação que faça diferença e que possa ser vendida, é um infoproduto. É um produto baseado no bem mais precioso do milênio, a informação.

A diferença é que agora temos o poder da internet como um meio 100% escalável de vender qualquer informação que você tenha sobre qualquer assunto que desejar. A informação de qualidade é o ativo mais precioso da nossa era!

Depois de decidir o que queria vender e como eu queria vender meus produtos de informação, tentei fazer isso por minha conta.

Montei um site, escolhi um nicho que eu achava rentável, pesquisei todas as informações, fiz um produto excelente, ou pelo menos eu achava que era excelente, e comecei a tentar vender.

Consegui trazer um bom tráfego, estava gastando alguns milhares de reais para gerar esse tráfego, para construir uma lista de pessoas interessadas naquele produto.

Montei minha apresentação, meu vídeo de vendas, escrevi tudo o que eu queria da melhor maneira que consegui, estava tudo perfeito. As pessoas estavam adorando o conteúdo, convidei todos da Lista para uma palestra on-line na qual eu abriria as vendas do meu primeiro infoproduto, e eu estava pensando:

"É hoje que eu vou vender muito. Todo mundo está gostando da palestra! É só abrir o carrinho, e a enxurrada de dinheiro vai entrar!"

Chegou a hora da venda, peguei o script que eu tinha preparado (antes de aprender sobre *copywriting*) e comecei a ler; respondi a todas as perguntas das pessoas, coloquei o link de compra na tela e comecei a olhar o que aconteceria nas vendas...

Sabe o que aconteceu?

Absolutamente NADA!

Terminei a aula e, naquela noite, depois de tanto trabalho, dedicação e dinheiro, fui abrir a página de vendas e... eu não tinha vendido nada!

Eu não conseguia entender o que tinha acontecido.

Revi todo o processo, olhei todas as configurações para ver se tinha algum problema técnico, algum erro...

Estava tudo perfeito, não tinha erro nenhum! Nada errado no sistema.

Meu grande erro foi que eu realmente não sabia como fazer uma venda!

A partir daí, comecei a estudar TUDO o que via pela frente a respeito de vendas, especialmente pela internet.

Depois de muita, mas muita pesquisa, acabei descobrindo técnicas aplicadas no mercado norte-americano que funcionavam há dezenas de anos.

Aos poucos, fui montando um modelo, baseado no conhecimento que eu ia adquirindo, que serve para...

Vender praticamente qualquer coisa para qualquer um!

Com esse script de 5 passos, foi possível criar um modelo de vendas absolutamente matador!

A grande verdade é que não importa o que se está vendendo, toda venda é baseada no mesmo processo de 5 passos.

1. Atrair a atenção
2. Criar conexão
3 Ensinar sobre o problema
4. Trazer a solução
5. Fazer a oferta

Neste capítulo vou ensinar com detalhes esse script de 5 passos.

Esse modelo que você está prestes a conhecer é a diferença entre ganhar milhões de reais com uma oferta e ter um negócio próspero e sustentável, ou ter poucas ou nenhuma venda, como aconteceu comigo, e provavelmente quebrar, ir à falência.

Se você não souber vender, ter pessoas que entram no seu site não significa NADA! Você será apenas uma pessoa muito conhecida e sem dinheiro nenhum.

Vender é a PRINCIPAL habilidade que qualquer empreendedor deve ter!

Um *copywriter* é alguém especializado em geração de resultados e vendas...

Existem basicamente dois tipos de estratégias de marketing.

A primeira é a mais conhecida pelo público brasileiro: a estratégia de branding.

Nela, o foco da empresa está em construir uma marca sólida de sucesso que esteja presente na mente do consumidor todas as vezes que ele quiser comprar algum produto que sua empresa oferece.

Essa estratégia é altamente eficaz para empresas de grande porte, com muito dinheiro para usar em marketing e muito dinheiro para errar sem perder a saúde financeira.

Contudo, quando falamos de empresas de micro, pequeno e médio portes, a história é completamente diferente.

Cada real gasto com marketing deve retornar para a empresa com lucro! Se não seu negócio terá um fim trágico muito depressa.

Empresas pequenas e médias não têm milhões de reais para gastar em testes de marketing e estratégia de construção de marca. Elas precisam lutar para vender todos os dias, ou então vão à falência em poucos meses!

Para micro, pequenas e médias empresas, a única estratégia é focar o marketing de resultado, ou, como nós chamamos, marketing de resposta direta.

O marketing de resposta direta é a forma mais eficaz de investir em ações de marketing e medir seus resultados de vendas.

Você já parou para pensar se aquele outdoor, aquela propaganda de TV ou jornal está realmente lhe trazendo mais dinheiro do que o valor que você gasta para colocar sua marca lá?

O marketing de resposta direta é uma estratégia focada em resultado e mensuração! Somente quando souber de onde vem seu cliente de melhor qualidade, ao menor custo, você estará no caminho certo para construir uma empresa altamente lucrativa e que, de fato, coloca mais dinheiro no SEU BOLSO!

Entendido isso, vamos agora entrar em detalhes sobre COMO construir uma estratégia de marketing direto da maneira correta.

O "script matador" é um modelo de 5 passos com foco em:

VENDER, VENDER e VENDER!

Quando colocados na ordem certa, esses 5 passos têm um poder gigantesco de influência e persuasão nas pessoas que o estão assistindo ou lendo. É quase uma mágica!

Você já parou para pensar por que todas as propagandas da Casas Bahia, da Polishop e de outras empresas são sempre iguais? Por que essas empresas bilionárias gastam milhões de reais para colocar sempre os mesmos comerciais na TV?

A resposta é muito simples, meu amigo e minha amiga...

É por que este modelo funciona sempre, e vai continuar funcionando por anos... décadas!

Agora, antes de ensinar sobre os 5 passos, quero fazer um alerta: só use esse modelo de vendas em produtos e negócios em que você *realmente acredita*.

Isso é tão poderoso que você vai conseguir vender até para aquela pessoa que não deveria comprar.

Pense muito bem antes de usar esses 5 passos em qualquer produto...

Se você não quer ter uma enxurrada de clientes para o produto que vende, não use!

Estou contando com sua honestidade, com sua integridade de vender produtos que realmente façam a diferença na vida das pessoas.

Para começar, sempre gosto de trazer a definição de *copywriting*, essa técnica tão poderosa.

A definição que eu uso é a de que *copywriting* é a técnica de escrever scripts persuasivos, falados ou lidos, que têm como objetivo e resultado fazer as pessoas tomarem uma ação específica e mensurável".

Que tipo de ação?

Por exemplo: cadastrar-se na sua Lista, responder a uma pesquisa, ler um e-mail, comprar um produto, enfim, qualquer coisa que você desejar que os seus clientes façam.

Antes que você veja os 5 passos de um script matador, você precisa entender quatro conceitos valiosos para que suas cartas, vídeos e scripts de vendas fiquem PODEROSOS de verdade. Vamos lá:

1. **Linguagem pessoal**: pessoas gostam de fazer negócios com pessoas, e não com empresas. Elas precisam dessa aproximação que a internet nem sempre oferece. Então, usar uma linguagem pessoal na sua comunicação ajuda a causar uma impressão de que há alguém por trás

daquele script. O sistema funciona muito melhor, existe muito mais confiança dessa maneira.

2. **Encontrar o sentimento-chave**: o que é sentimento-chave? Por que a pessoa compra ou por que faz o que ela faz? Por exemplo, quem vai comprar uma dieta ou algo desse tipo, por que ela compra? Muita gente falaria que as pessoas compram dietas para emagrecer, mas é um pouco mais profundo do que isso.

   Por que essa pessoa quer emagrecer?

   Ela quer emagrecer para se sentir bem!

   Ela vai aceitar muito mais o corpo dela, vai ficar muito mais feliz, não vai sentir vergonha, e por aí vai.

   A pessoa vai ter um sentimento de persistência e resultado, de felicidade, de cumprir a meta dela, e é aí que você tem de pegar:

   O que a pessoa vai sentir na hora que ela tiver concluído a compra e a experiência com o seu produto?

   Você tem de encontrar esse sentimento-chave de resultado e usar no seu script de vendas.

3. **Reforçando a dor**: Isso é, colocar o dedo na ferida!

   Todo infoproduto que explode de vender resolve um problema. Esse é o tipo de produto que mais vende no mundo. E eu diria que é o único tipo de produto que vende no mundo!

   Para criar um negócio de sucesso você tem de resolver o problema de alguém!

   E, na hora de vender, você precisa mostrar que, a partir do momento em que ele tiver seu produto, aquela dor não vai mais estar lá.

   Reforçar a dor é poderoso, mas deve ser feito da maneira certa, e você vai aprender sobre isso no "script matador de 5 passos", logo a seguir.

4. **O seu produto é a ponte, e não o objetivo.**

   A pessoa está comprando o seu produto para resolver um problema que ela tem.

   Seu produto é a ponte entre o problema e a solução que essa pessoa procura. Quero que isso fique bem claro.

Seu produto não é o que seu cliente quer, seu cliente quer o benefício que seu produto entrega!

Agora que você conhece os 4 pontos-chave de um *copywriting* bem-feito, vamos aos 5 passos do "script matador".

Com estes 5 passos ordenados, você consegue escrever um script de vendas para qualquer tipo de produto.

Os 5 passos do "script matador":

1. Atrair a atenção: é uma quebra de padrão, é uma maneira de reforçar nossa atenção.

   Quando estiver assistindo à TV, preste atenção em quantos segundos a imagem fica em um ângulo fechado de câmera, em um ângulo só. A imagem está mostrando uma pessoa e depois ela corta para outra, aí abre, e depois fecha mais em outra pessoa; isso, em um vídeo, por exemplo, é uma quebra de padrão.

   É uma forma de quebrar o padrão da pessoa e fazê-la prestar atenção em tudo o que está acontecendo.

   Contudo, como quebrar o padrão? Você tem de causar um impacto na pessoa. Você precisa entregar para ela alguma coisa que ela não esteja esperando.

   Então ela clica no seu anúncio, cai na sua página de vendas, e sua página de vendas mostra um camelo: "Acredite se quiser, mas esse camelo é a chave para você conquistar um negócio de sucesso".

   Pode ter certeza que essa pessoa vai parar o que está fazendo e dizer: "Que diabos tem a ver um camelo com isso tudo?", e essa é a quebra de padrão. **Ela serve para chamar a atenção dessa pessoa.**

   Depois de quebrar o padrão do prospecto, você tem de fazer uma promessa de um benefício:

   "Por que você tem de ler essa carta?" ou "Por que você tem de assistir a esse vídeo até o final?".

   Então você deve fazer uma promessa: você quebra o padrão, chama a atenção e, na hora em que o prospecto estiver com a atenção máxima, você vai fazer uma promessa e dizer:

"Se você assistir a esse vídeo até o final, vai descobrir uma forma de emagrecer 5 quilos em 2 dias, perdendo 10% de massa gorda comendo chocolate" ou "Porque eu vou lhe mostrar uma forma de construir seu negócio em 5 passos mágicos", só para você ter uma ideia.

2. Criar conexão: o segundo passo é criar conexão. E a melhor maneira de criar essa conexão é por meio de uma história!

   A história é um dos gatilhos mentais mais poderosos que existe. Uma história conquista, cativa e conecta você com seu prospecto. É a história que vai fazer você ter uma empatia muito maior com o cliente.

   E essa história é a de como você fracassou até descobrir o que você sabe hoje, uma forma de conseguir ganhar dinheiro na internet ou de conseguir emagrecer em 5 dias, e assim por diante.

   Você tem de contar uma história de fracasso primeiro, pois isso o conecta com a pessoa com quem você está falando.

   Depois que você quebrou o padrão, prometeu um benefício e contou sua história de fracasso até descobrir seu produto, fale sobre o grande problema.

3. Ensinar sobre o problema: qual é o grande problema do cliente? Normalmente, existe um grande problema para que não dê certo o que você está fazendo. Por que não emagrece? Por que não tem um negócio de sucesso?

   O fato é que é muito mais fácil vender se o problema não estiver na pessoa que aplica o método, mas sim no método.

   Exemplo: Se você quer emagrecer e não consegue, o problema pode estar no método ou em você. Nesse momento, a ideia que você quer passar para o cliente é a de que ele tem seguido o método errado e não a de que o problema é ele mesmo.

   Se o problema for do seu cliente, não há nada que você possa fazer para ajudar, se o problema for o método (ou o produto) seu cliente pode trocar de produto.

   Faça o cliente entender que ele tem um problema de falta de conhecimento em algo.

Se ele tiver a informação que falta, tudo vai se resolver...

4. Trazer a solução: depois de chamar a atenção, contar sua história, falar que a culpa daquele problema não é dele e dizer que o motivo do fracasso dele é X, dependendo do seu mercado, você vai mostrar para ele 3 dicas excelentes.

   É importante que ele consiga aplicar essas dicas na hora e já tenha um resultado melhor.

   Primeira dica, "como evitar": ofereça uma dica que mostre que você é uma autoridade naquele assunto. Por exemplo: "Se você parar de falar de negócios com pessoas que não entendem de negócios, vai ver como sua produtividade vai aumentar muito, e sua motivação crescer demais".

   Segunda dica, "como aproveitar melhor": tem de ser uma dica de como conseguir aproveitar melhor um recurso que a pessoa já tem ou possa obter.

   Terceira dica, "como fazer": essas são dicas de resultados rápidos. O principal é ter um gancho da oferta. Você fala: "Como aumentar em 300% sua Lista sem aumentar o tamanho dela", "Como vender mais trabalhando menos?", e assim por diante.

   Você dá uma dica rápida e depois explica melhor para o prospecto; no final, você fará o gancho da oferta. Por exemplo: "Já lhe dei todas essas dicas, mas tudo isso é só um pouquinho do que posso lhe ensinar", e "o que eu posso lhe ensinar" é onde você vai fazer a sua oferta matadora.

5. Fazer a oferta: a oferta é composta por 11 passos.

   Passo 1, *o produto*: você tem de mostrar que o produto é o caminho que o cliente vai percorrer.

   Passo 2, *as objeções*: você deve destruir qualquer objeção que apareça, ou seja, dar solução para os problemas que podem aparecer e que possam desabonar o produto.

   Passo 3, *o retorno do herói*: aqui você vai contar a história do retorno do herói. Você vai falar o seguinte: "Sei que isso funciona porque já passei por essa experiência e pesquisei tudo sobre o assunto". Você fala exatamente onde e por quanto tempo pesquisou para chegar ao resultado que tem.

Passo 4, *o clube*: desde criança, todo mundo quer fazer parte de um clube. Aqui é a hora em que você convida o prospecto para fazer parte de algo. Você diz: "Hoje você vai ter a chance de participar desse grupo de pessoas que têm resultado com marketing on-line". Ninguém gosta de ser deixado de fora.

Passo 5, *a qualificação*: aqui você qualifica e tira as pessoas que não estão interessadas em trabalhar para obter o resultado. Você pode dizer: "Se você quer ter um resultado mágico, do nada, sem trabalhar, então não é a pessoa certa para esse tipo de produto. Só preciso de pessoas que tenham dedicação, que saibam que a coisa é simples, mas não é fácil, e que vão se dedicar até obter um resultado legal".

Passo 6, *o que seu produto não é*: isso é muito importante. É o que chamamos de "contravenda". Você tem de falar o que seu produto não é: "Meu produto não é uma pílula mágica que faz emagrecer em três minutos", explique o que seu produto não faz. Isso seleciona pessoas interessadas em criar resultado, e ainda é um gatilho mental muito forte.

Passo 7, *o preço*: primeiro você dá uma ideia de quanto seu produto poderia custar, isso é uma forma de aumentar o valor do seu produto, depois você diz: "Sei que 5 mil reais é um valor muito alto. Você não vai pagar 5 mil reais e ainda terá mais bônus. Vou lhe dar o bônus 1, 2, 3...", mostra os bônus que virão junto com a compra e, depois disso tudo, conclui: "Como falei, você não vai pagar nem metade disso...".

Passo 8, *a garantia*: depois de dar o preço real, ofereça uma garantia ao prospecto. Gosto de dar três razões, duas sérias e uma engraçada: "Se você não tiver os resultados que espera em um mês, se não vender 5 mil reais nas próximas três semanas ou se achar a minha voz engraçada na gravação do áudio, pode pedir seu dinheiro de volta. Não interessa o motivo, vou devolver o dinheiro, e ficará tudo certo".

Passo 9, *a chamada para a ação*: é aqui que você de fato vende. Você mostra seu produto e, na hora de fazer a chamada para a ação, coloca os testemunhos (pessoas que usaram e aprovaram seu produto e que causarão aprovação social) que comprovam o sucesso deles. Depois você vai lá e apresenta os passos para a compra – mostra, por exemplo, a tela da compra, com o passo a passo.

Passo 10, *a dor e o prazer*: aqui você reforça o pensamento de frustração. Ou seja, "Você pode continuar com a dor ou resolver seu problema comprando esse produto agora". Essa é a hora de mandar o prospecto comprar. Faça o contraste entre a dor de hoje e o prazer que ele terá ao comprar seu produto.

Passo 11, *perguntas e respostas*: por fim, caso reste alguma objeção do seu prospecto, você faz as perguntas e as respostas. As pessoas vão lhe mandar perguntas, e as respostas vão quebrar essas objeções.

Se você fizer um script dessa maneira, seguindo as técnicas que passei, você estará no caminho certo para ter resultados espetaculares em suas vendas!

Lições Aprendidas

Habilidade número 1 que todo empreendedor deve aprimorar: saber vender!

Vender usando as palavras certas é a diferença entre ter um negócio milionário ou sofrer a vida inteira com negócios sem sucesso.

Você precisa ter o conhecimento básico de *copywriter*: saber o que, quando, como dizer e para quem dizer para efetuar suas vendas.

Ter pessoas que entram no seu site não significa nada se você não souber vender: você será apenas uma pessoa conhecida e sem dinheiro nenhum.

O "script matador" tem foco em 3 coisas: vender, vender e vender.

Quatro conceitos valiosos para suas cartas, vídeos e scripts de vendas:

1. Linguagem pessoal: pessoas gostam de fazer negócios com pessoas, e não com empresas.
2. Encontre o sentimento-chave: por que a pessoa compra ou por que faz o que faz?
3. Reforce a dor: coloque o dedo na ferida. Para criar um negócio de sucesso, você tem de resolver o problema de alguém. E, na hora de vender, mostre que seu produto vai resolver o problema da pessoa.

4. Saiba que seu produto é a ponte, e não o objetivo. Seu produto não é o que seu cliente quer, seu cliente deseja os benefícios do produto.

Os 5 passos do "script matador" (precisam ser colocados na ordem certa):

1. Atenção instantânea: é uma quebra de padrão para reforçar a atenção. Quando o prospecto estiver com a atenção máxima, faça uma promessa.
2. Conexão através de uma história: é a história que fará você ter uma empatia muito maior com o cliente. Essa história é a de como você fracassou até descobrir a solução.
3. O grande problema: qual é o grande problema do prospecto? Normalmente, existe um grande problema para tudo que você está fazendo não dar certo. Faça o prospecto entender que ele tem um problema, que esse problema é a falta de conhecimento em algo e que a culpa não é dele.
4. A maior solução: ofereça dicas excelentes para o prospecto. É importante que ele consiga aplicar essas dicas na hora e já tenha um resultado melhor. Após as dicas, faça o gancho da oferta.
5. A oferta matadora: é composta por 11 passos.
    1. O produto: mostre que o produto é o caminho que o prospecto vai percorrer.
    2. As objeções: destrua qualquer objeção que apareça.
    3. O retorno do herói: conte a história do retorno do herói.
    4. O clube: desde criança, todo mundo quer fazer parte de um clube. Aqui é a hora em que você convida o prospecto para fazer parte de algo. Ninguém gosta de ser deixado de fora.
    5. A qualificação: qualifique as pessoas e tire as que não estão interessadas em trabalhar para obter o resultado.
    6. O que seu produto não é: isso seleciona pessoas que estão interessadas em criar resultado.
    7. O preço: primeiro você dá uma ideia de quanto seu produto poderia custar (essa é uma forma de aumentar o valor dele). Depois, mostra os bônus que virão com a compra, e, depois disso tudo, você diz: "Como falei, você não vai pagar nem metade disso...".
    8. A garantia: depois de informar o preço real, você dá uma garantia para o prospecto.

9. A chamada para a ação: é aqui que você vende de fato. Indica o que a pessoa precisa fazer para adquirir seu produto naquele momento.
10. A dor e o prazer: mostre o problema que a pessoa continuará tendo sem seu produto e os ganhos que terá com ele.
11. Perguntas e respostas: caso reste alguma objeção do seu prospecto, você faz perguntas e respostas. As pessoas vão lhe mandar perguntas, e as respostas vão quebrar essas objeções.

Genial esse Rafael Albertoni! E um bônus incrível deste capítulo está esperando por você no **www.conaed.com.br/negociosdigitais-rafaelalbertoni**. Acesse agora mesmo. ■

CAPÍTULO 14

MENSURANDO RESULTADOS NAS MÍDIAS DIGITAIS

Felipe Pereira

Você já ouviu a expressão "Se você não sabe para onde vai, qualquer caminho serve", de *Alice no País das Maravilhas*? É justamente isso que acontece quando você não monitora as ações de marketing do seu negócio. Um dos grandes diferenciais do marketing digital é a mensuração imediata de todas as suas ações. E foi justamente por isso que convidei o Felipe Pereira para escrever este capítulo. "Onde devo investir meu dinheiro? No Facebook? No Google AdWords? Num anúncio a ser colocado num blog de bastante popularidade?" Felipe Pereira vai ensiná-lo a obter as respostas para essas perguntas. Gostaria de lembrar que, ao mensurar os resultados, você poderá tomar decisões melhores e assim aumentar os resultados do seu negócio. Isso interessa a você? Claro que sim! Aproveite.

ALAN PAKES

Neste capítulo, vou falar sobre um tema muito importante dentro do empreendedorismo on-line: a mensuração de resultados nas mídias digitais.

Antes disso, deixe que eu me apresente: sou educador, consultor, palestrante e empreendedor serial. Tenho uma agência digital chamada Unu Soluções, um blog sobre empreendedorismo e marketing digital chamado Digaí e alguns infoprodutos e empreendimentos on-line. Em 2014, organizei o Encontro Brasileiro de Marketing Digital, um congresso on-line que teve mais de 16 mil inscritos.

Também sou autor do e-book *Dezesseis erros que impedem seu site de estar na primeira página do Google* e coautor do e-book *Onze erros que impedem seu negócio de atrair uma avalanche de leads*, que já tiveram mais de 17 mil downloads.

Durante quatro anos, coordenei a pós-graduação em Comunicação e Marketing em Mídias Digitais da Faculdade Estácio, do Recife, um dos principais cursos de especialização em marketing digital do país. No início de 2015, decidi deixar a coordenação e ficar apenas como professor do curso, para focar os negócios digitais.

Na pós-graduação, uma das disciplinas que ministro se chama "Métricas e indicadores", um assunto importantíssimo para quem deseja ter sucesso na internet. Você só consegue saber se um negócio está indo bem se houver metas definidas e se forem mensurados indicadores de desempenho para verificar o alcance dessas metas.

Além disso, se você tem – ou deseja ter – um negócio e pretende divulgá-lo através da internet, pode estar se fazendo a seguinte pergunta: "Onde devo investir meu dinheiro? No Facebook? No Google AdWords? Num anúncio a ser colocado num blog de bastante popularidade?".

Muitas pessoas passam por essa dúvida e, para tomar uma decisão como essa, precisam fazer a mensuração de resultados de cada uma dessas oportunidades a fim de chegar a uma resposta assertiva sobre onde alocar seus recursos financeiros.

A mensuração também vai lhe ajudar a descobrir como você está em comparação com seus concorrentes nesse campo das mídias digitais.

Você também vai ter acesso aos indicadores de desempenho que vem obtendo e, consequentemente, após analisá-los, descobrirá onde e como melhorar.

E isso é fundamental porque, como diz o ditado: "Para um barco que navega sem sentido, qualquer vento é favorável". Portanto, se não tenho um rumo, não faço acompanhamento e não sei como vão as coisas de fato! Ou seja, não estou focado no meu objetivo porque sem fazer essa medição fica muito difícil otimizar minhas campanhas e conquistar resultados expressivos.

E, para praticar as técnicas de medição, existem ferramentas que vão lhe ajudar muito fornecendo relatórios com uma série de dados essenciais ao seu empreendimento.

O grande desafio é saber quais dessas ferramentas realmente serão úteis e quais delas servem apenas para gerar um acúmulo de informações que estão ali somente para confundir sua cabeça.

Por exemplo, se você tem um site e começa a usar o Google Analytics, é provável que tenha acesso a muitas informações que vão fazer diferença no seu negócio. No entanto, ele vai enchê-lo de dados, e você precisa ser seletivo para capturar somente o que de fato lhe interessa.

Se a sua *fanpage* no Facebook lhe dá acesso ao Facebook Insights, o mesmo pode ocorrer. Você tem à disposição uma sobrecarga de conteúdos analíticos e acaba se perdendo com relação à relevância de tudo o que está lendo.

São muitas estatísticas, pesquisas, levantamentos, e, no meio dessa avalanche de conteúdos, você pode acabar não sabendo muito bem o que fazer com tantos relatórios a respeito do seu negócio on-line.

O ideal é que você colete apenas os dados relevantes para montar uma estratégia, um plano de ação. É isso que vai fazer com que as informações que você possui tenham alguma utilidade real.

Portanto, vamos agora conhecer algumas das ferramentas e técnicas de mensuração, e, de maneira simples e direta, vou lhe ensinar a usá-las a fim de mensurar como andam seus resultados em cada uma das mídias digitais que você administra.

Análise de ferramentas e técnicas para mensuração

1. **Google Trends:** permite mensurar o interesse do público em pessoas, produtos e ideias. Então, basicamente, estamos falando de uma ferramenta que o ajudará a comparar o volume de buscas dentro do Google por várias palavras-chave.

Há alguns anos, a Nissan resolveu promover uma campanha publicitária que deu o que falar. A propaganda comercial, que foi veiculada nas TVs e na internet, fazia uma sátira à potência dos motores de um carro, comparando-os à figura de "pôneis malditos".

O comercial teve de 10 milhões de visualizações no YouTube, a campanha esteve no topo dos *trending topics* do Twitter, e o termo "pôneis malditos" também se tornou uma febre no mundo digital.

Hoje, se você fizer uma pesquisa no Google Trends colocando as palavras-chave "Nissan", "Frontier", "Pôneis Malditos", "S10" e "Hilux", por exemplo, a ferramenta lhe dará acesso ao volume de buscas a cada uma delas.

E você vai constatar que a quantidade de buscas pela expressão "Pôneis Malditos"' era zero até o final de julho de 2012, mas teve um pico em agosto do mesmo ano. Depois de alguns meses, ela caiu novamente.

Aí você me pergunta: "E o volume de buscas pela palavra 'Nissan'?". Bem, "Nissan" começou melhor do que os outros. Depois, teve uma pequena queda e então subiu novamente no mesmo período em que "Pôneis Malditos" teve seu crescente de buscas.

Nesse exemplo, o Google Trends permite ainda comparar os resultados de busca da Nissan em relação aos índices de pesquisa de S10, Hilux e Frontier, ou seja, a ferramenta pode ser analisada para comparação do volume de buscas no Google dos nomes de concorrentes.

Vale ressaltar que o Google Trends é uma ferramenta gratuita que você pode acessar através do endereço www.google.com/trends.

2. ROI (Retorno sobre investimento): é uma métrica que indica o retorno que uma campanha está lhe dando. Vamos supor que você venda um produto de uma loja virtual ou um curso on-line e esse produto seja comercializado por 200 reais.

Levando em conta que você fez o investimento de propaganda de mil reais e, no final, fez cinquenta vendas, faturando 10 mil reais, isso é sinal de que você alcançou um ROI de 9.

Ou seja: ganhou 10 mil reais, subtraiu os mil reais de propaganda, e seu retorno foi de 9 mil reais: nove vezes o valor que investiu.

O cálculo é rápido, simples e direto. O ROI é uma das ferramentas mais importantes para empreendedores digitais que começam a investir e realizar campanhas on-line, portanto, sempre que possível, faça uso dele.

3. Funil de conversão: é uma sequência de etapas que acompanha o processo da sua relação com o cliente desde o primeiro contato até o objetivo final. Então, vamos supor que eu esteja trabalhando uma campanha de anúncios no Google. Mil pessoas veem meus anúncios e, entre elas, digamos que 10 cliquem no anúncio. Contudo, dessas 10, no final das contas apenas uma efetiva a compra. O processo vai se afunilando em 3 etapas básicas: visualizar, clicar e comprar.

Outro exemplo: disparo um e-mail para uma lista de mil pessoas. Algumas delas abrem a mensagem, outras, não. Entre as que abrem, um grupo clica no link que enviei, e assim, é redirecionado para um site de divulgação de um curso on-line. Por fim, algumas se inscrevem e fazem a pré-matrícula no curso oferecido. Então, nesse funil, podemos identificar as seguintes etapas: envio, abertura, clique e inscrição.

Diante disso, você pode criar uma planilha no Excel e registrar cada uma dessas ações. Por exemplo: vamos supor que você fez um disparo de mil e-mails, e 200 pessoas o abriram; dessas 200 pessoas, 50 clicaram; e, dessas 50, uma se inscreveu no curso. De acordo com essas anotações, você concluirá que o seu funil teve uma taxa de abertura de 20% (200/1.000), uma taxa de cliques de 25% (200/50) e uma taxa de conversão de 2% (1/50). Você deve analisar cada uma dessas taxas e traçar planos de ação para melhorar cada uma delas individualmente.

4. Teste A/B: é uma técnica que permite que você crie duas versões de alguma coisa a fim de descobrir qual delas tem o melhor resultado. Por exemplo, você tem dois modelos de página de captura (uma página em que seu visitante pode se cadastrar) e deseja saber qual deles tem maior taxa de cadastro. O funcionamento é simples: imagine que mil pessoas entrem no seu site e sejam encaminhadas, aleatoriamente, para a versão A ou para a versão B – de forma que, no fim, tenhamos 500 delas visualizando a primeira versão e 500 visualizando a segunda.

Agora, vamos supor que, das 500 pessoas que visualizaram a versão A, 200 se cadastraram. E, das 500 pessoas que visualizaram a versão B, 300 se cadastraram. Podemos concluir que a versão B é melhor do que a versão A. Isso porque a taxa de conversão da página B foi maior do que a da página A.

O conceito de Teste A/B também pode ser usado para mensurar resultados de e-mails. Você cria dois e-mails com títulos diferentes, porém com o mesmo conteúdo de texto. Para fazer o teste, você encaminha cada uma das duas mensagens para 10% da sua Lista. Através dessa ação, você deve analisar qual dos dois títulos teve maior taxa de abertura. Então, você faz o envio da campanha para os outros 80% da sua Lista usando o título que teve maior êxito.

O Teste A/B também mede os resultados dos anúncios veiculados no Facebook. Você cria vários anúncios e descobre qual texto ou imagem é capaz de gerar maior conversão.

5. Google Analytics: é uma ferramenta gratuita do Google que serve para medir resultado de visitação em sites. Ela pode ser acessada através do endereço <http://www.google.com/analytics>. Ao entrar, você se cadastra conforme as orientações indicadas pela ferramenta; depois, receberá um código que deve ser colocado dentro do seu site. Dessa forma, você passa a ter um acompanhamento detalhado da movimentação do seu site, inclusive com dados estatísticos. Uma das informações que o Analytics vai lhe apresentar é um painel em tempo real que mostra quantas pessoas estão on-line no seu site naquele determinado instante. Além disso, mostra de que cidade ou país elas são e também de onde veio esse tráfego, ou seja, como essas pessoas chegaram até o link do seu site.

Outro relatório muito importante que o Google Analytics proporciona é a visão geral. Através dele, você tem toda a evolução do número de visitas no seu site, o tempo que as pessoas gastam no site, quantas páginas navegam em média, entre outras informações.

Você pode solicitar um relatório referente a determinado período e saber que em alguns dias houve um pico muito grande de visitação. A partir daí, você pode investigar, posteriormente, qual foi o motivo e quais foram as fontes de tráfego que geraram essas visitas.

O Google Analytics também traz uma análise da visitação por países e subdivide a lista percentual por Estados, entre muitas outras informações fundamentais para quem está investindo num empreendimento digital. Portanto, fique atento a esses índices e a essas estatísticas a fim de direcionar assertivamente seu negócio on-line.

6. Relatórios das mídias sociais: como hoje existem muitas redes sociais, seria impossível analisar os relatórios de cada uma delas aqui. Assim, resolvi comentar a respeito dos relatórios obtidos através do Facebook, que é a principal mídia social no Brasil.

O Facebook possui uma ferramenta própria de relatórios chamada "Facebook Insights". Através dela, você consegue ver quantos fãs a sua página tem por dia, por mês, por trimestre, e assim sucessivamente. Além disso, você também tem acesso ao número de *likes* obtidos por dia e pode consultar datas específicas a fim de acompanhar a evolução do seu negócio digital.

Outra função muito relevante do "Facebook Insights" é identificar o momento em que os fãs estão on-line na rede. É possível obter um relatório que liste essas estatísticas nas categorias: dia da semana e horário. Isso nos aponta quais são os melhores momentos para divulgar um post, o que permite aumentar o alcance e o engajamento de sua postagem.

Há também um relatório referente aos fãs/curtidores da sua página. Esse relatório é feito por gênero (masculino e feminino), faixa etária, localização geográfica, entre outros.

Por fim, como podemos perceber, os dados oferecidos pelo Facebook para empreendedorismo digital são bem minuciosos e nos permitem fazer um bom uso da mídia se prestarmos muita atenção a tudo o que ela nos apresenta.

As 6 dicas finais

1. A prática da mensuração é uma das partes mais importantes do seu trabalho. Muita gente, hoje, executa uma ação de marketing em mídia digital sem levar em conta as métricas e os dados que os relatórios podem lhes oferecer. E a consequência disso é uma estratégia feita sem embasamento, ou seja, criada por instinto, e não de forma lógica. Por isso, recomendo que você construa seu planejamento de comunicação on-line procurando sempre definir quais são as métricas que vai mensurar e quais são as ferramentas que vai usar para ter acesso às informações relevantes ao impulso do seu negócio. E lembre-se: é fundamental que você elabore um funil de conversão para cada uma de suas campanhas.

2. Esteja atento ao fato de que existem fatores que não podem ser mensurados quantitativamente. Por exemplo, imagine uma *fanpage* que passa por uma crise relacionada a uma postagem que está recebendo vários comentários negativos. Se você for analisar levando em conta apenas o número de comentários, chegará à conclusão de que o engajamento está altíssimo, ou seja, que está tudo bem e que os resultados estão sendo positivos. Na verdade, porém, não é isso o que está acon-

tecendo. A página está passando por uma crise de conteúdo, e o alto índice de acessos, na verdade, vem de pessoas que entram nela para criticar, reclamar e discordar dos posts. Ou seja, podemos concluir que algumas informações não aparecem em relatórios e que você precisa analisar as coisas também levando em conta o valor qualitativo.

3. O engajamento é mais importante do que o número de seguidores que você tem! Não adianta muito ter uma *fanpage* com 10 mil fãs se apenas uma ou duas pessoas curtem ou comentam suas publicações. Não adianta ter uma lista de 10 mil e-mails se apenas uma ou duas clicam em suas mensagens. É mais interessante você ter uma *fanpage* com apenas mil fãs ou uma lista com apenas mil assinantes e, quando você envia algo, dez pessoas interagem, por exemplo. Então, a dica é tentar buscar o maior engajamento possível dentro de seus canais de comunicação, sejam mídias sociais, sejam blogs, sejam listas de e-mail. O único benefício de você ter grandes números sem engajamento é a famosa aprovação social. Quando alguém entra no seu site, vai ver que o número de fãs da sua empresa é muito grande e vai achar que, realmente, você é uma empresa de respaldo. Contudo, tirando esse aspecto, qualidade é melhor que quantidade.

4. Seja desconfiado. Quando você está trabalhando com mensuração de resultados, desconfie sempre dos números e procure investigar o que está errado. Houve uma época em que eu tinha um site e ele estava apresentando uma taxa de rejeição muito pequena. Intrigado, fui investigar a questão e acabei percebendo que o código do Google Analytics estava computando duplamente o número de acessos no site. Isso fazia com que, cada pessoa que entrasse, o Google contasse a visita e já considerasse, automaticamente, que essa pessoa estava visualizando outra página. Então, isso levava nossa taxa de rejeição lá para baixo. Portanto, é muito importante que você esteja sempre desconfiado em relação aos números.

5. Faça mensuração durante a execução do seu trabalho. Eu já vi muita gente fazer campanha de Facebook Ads, por exemplo, sem acompanhar o andamento pelos relatórios. As pessoas deixam para fazer a análise somente quando terminam suas campanhas e perdem a chan-

ce de tomar ações corretivas no meio do caminho, a fim de melhorar sua campanha durante a execução. O ideal é colocar a campanha no ar, mensurar os resultados durante sua execução e, se perceber que há algo de errado ou vir uma possibilidade de aperfeiçoamento, você já faz os ajustes necessários e otimiza seus resultados.

6. Analise o porquê dos resultados. Entenda: não adianta saber que houve um pico de visitas em determinado dia e sair para o abraço! Você precisa saber qual foi a causa desse pico. Isso vai lhe ajudar a produzir outros conteúdos de postagem parecidos, de maneira que repita aquele êxito que gerou o pico de visitas.

Estamos chegando ao fim do capítulo e, diante de tudo o que vimos, eu me despeço de você deixando uma mensagem final que é: sempre que analisar os números, não se esqueça de agir!

Quando descobrir que teve um pico de visitação no seu blog por causa de um vídeo postado, parta imediatamente para a ação e crie novos vídeos.

Quando descobrir que uma entrevista de rádio gerou várias visitas no seu site, parta para agendar novas entrevistas como essa.

Ou seja, replique as ações que deram bons resultados após a mensuração. Isso é o que faz a diferença dentro do empreendedorismo associado ao marketing digital.

Lições Aprendidas

Você só consegue avaliar o desempenho de um negócio com metas definidas e mensuração de indicadores de desempenho. A mensuração traz assertividade nas decisões para alocar recursos.

Colete apenas dados relevantes para montar uma estratégia, um plano de ação. Isso é o que vai fazer com as informações tenham utilidade real.

Ferramentas e técnicas de mensuração:

1. Google Trends: permite mensurar o interesse do público em pessoas, produtos e ideias. Essa ferramenta ajuda a comparar o volume de buscas de várias palavras-chave dentro do Google.

2. ROI (Retorno sobre investimento): indica quanto uma campanha gera de retorno financeiro. Essa é uma das ferramentas mais importantes para avaliar campanhas on-line.
3. Funil de conversão: é uma sequência de etapas do processo desde o primeiro contato com o cliente até o objetivo final. Cada etapa deve ser analisada para gerar planos de ação de melhorias individuais.
4. Teste A/B: técnica que permite que você crie duas versões de alguma coisa a fim de descobrir qual delas tem o melhor resultado. Pode ser usado para avaliar melhores versões de e-mails, anúncios de Facebook, página de vendas etc.
5. Google Analytics: ferramenta que lhe permite ter um acompanhamento detalhado da movimentação do seu site, inclusive com dados estatísticos. Você pode avaliar quando há picos de visitação. E, com isso, investigar as ações e as fontes de tráfego que mais atraem visitas.
6. Relatórios das mídias sociais: exemplo, "Facebook Insights", que traz dados minuciosos para fazer bom uso da mídia. Pode identificar a quantidade de fãs que passam por sua página, o número de *likes*, os momentos em que as pessoas estão on-line, indicando quando é melhor postar na rede. Você também pode descobrir o sexo, a faixa etária, a localização geográfica, entre outras informações do seu público.

As 6 dicas sobre mensuração:

1. Construa um planejamento de comunicação on-line que inclua as métricas a avaliar, as ferramentas utilizadas para mensuração das informações relevantes. Elabore um funil de conversão para cada uma de suas campanhas.
2. Alguns fatores não podem ser mensurados quantitativamente. Exemplo: um alto número absoluto de comentários num post pode indicar alto engajamento positivo. No entanto, os comentários podem ser negativos e, portanto, ser equivocada a conclusão de engajamento positivo.
3. Engajamento é mais importante que número de seguidores.
4. Seja desconfiado. Quando mensurar resultados, desconfie sempre dos números e procure investigar se há algo de errado.
5. Faça a mensuração durante a execução do seu trabalho, ou seja, coloque a campanha no ar já mensurando os resultados durante sua execução. Se perceber que há algo de errado ou alguma possibilidade de aperfeiçoamento, faça os ajustes e otimize seus resultados.

6. Analise o porquê dos resultados. Você precisa saber o que causa melhorias ou a piora dos seus indicadores. Isso vai lhe ajudar a produzir outros conteúdos a fim de repetir o êxito que gerou a melhoria ou evitar o que gerou a piora.

Sempre que analisar o resultado, não se esqueça de agir. Replique as ações que deram bons resultados. Isso é o que faz a diferença no empreendedorismo associado ao marketing digital.

E acesse agora o bônus do capítulo do Felipe Pereira em nosso **www.conaed.com.br/negociosdigitais-felipepereira**. Ele é todo seu! ■

CAPÍTULO 15

FÓRMULA DE LANÇAMENTO

Erico Rocha

O mercado brasileiro de empreendedorismo e marketing digital deu um enorme salto de qualidade e de volume de negócios graças ao nosso próximo coautor. Sem dúvida, você não estaria lendo este livro, nem tendo a imensa oportunidade de negócios que a internet lhe traz, se não fosse pelo trabalho genial dele. Estou falando de Erico Rocha, a pessoa que trouxe a Fórmula de Lançamento para o Brasil. O Erico conduz o trabalho com maestria, chegando muito próximo do estado da arte, algo que certamente ele alcançará em breve. Isso é muito bom para mim e para você também. O Erico é a pessoa que eleva a barra do mercado, fazendo com que ele fique cada vez melhor, causando maior impacto positivo no mundo. Se existe um método de marketing digital que você deve conhecer, esse método se chama Fórmula de Lançamento. Esse é o método que gera campanhas de vendas de extremo sucesso. Portanto, é hora de você triplicar sua atenção. Aproveite.

ALAN PAKES

Neste capítulo, vou lhe ensinar a aumentar o faturamento do seu negócio trabalhando posicionamento e audiência através do método Fórmula de Lançamento. Antes disso, porém, eu gostaria de lhe contar um pouco da minha trajetória de vida, afinal, se não fosse por ela, talvez eu não tivesse chegado onde estou.

Meus pais saíram de Minas Gerais e foram para Brasília em busca de uma vida melhor. E lá eu nasci, em 1977. Mesmo passando por muitas batalhas financeiras (perdas de posses e endividamentos diversos), sempre prezaram por dar um estudo de qualidade para mim e meus irmãos. Eles nos incentivavam de todas as formas a seguir um caminho que nos permitisse ingressar na melhor universidade do país. Eles pensavam que essa seria a grande chance de conseguirmos um emprego estável e rentável para usufruir de uma vida mais confortável em nosso futuro.

Depois de ter me dedicado ao máximo para cumprir com esse propósito, entrei para a melhor universidade que consegui. O tempo foi passando e segui meu destino até que, em meados de 2009, eu estava trabalhando no Banco de Investimentos em Londres (o J. P. Morgan) já havia nove anos e possuía uma renda mensal média em torno de 50 mil reais.

Posso dizer que, financeiramente falando, eu havia alcançado o sonho dos meus pais e honrado com todos os gastos que eles tiveram comigo. No entanto, eu me via extremamente infeliz atrelado a um emprego que em nada me representava.

Meu desejo pessoal era fazer a diferença na vida das pessoas! Eu ansiava por empreender e, na jornada por satisfazer esse desejo, fiz de tudo um pouco: cursos de desenvolvimento como o Landmark, leituras como a do livro *Trabalhe 4 horas por semana*, vídeos do Tony Robbins e do Steve Jobs, entre outros.

Foi quando criei forças suficientes para pedir demissão do J. P. Morgan e investir num negócio próprio (ainda que eu não soubesse em qual área). No entanto, no dia seguinte, eu me arrependi e tentei reverter a situação. Contudo, naquele momento, infelizmente, meu chefe se recusou a reverter o pedido de demissão. Cerca de dois meses depois, com 10 quilos a menos por causa das preocupações, nascia o meu primeiro negócio: o ProLeilões.

O ProLeilões era um site que ensinava investidores a comprar imóveis abaixo do valor de mercado e, em parceria com meu irmão Hugo, foi lançado em agosto. No entanto, entre os meses de agosto e dezembro, o site vendeu cerca 6 mil reais, e isso não quitava nem os custos de marketing que eu tive com ele.

Então, a um passo de voltar para minha antiga área de atuação em banco de investimentos e assumir que eu não sabia vender (nem mesmo on-line), comecei a procurar pessoas que sabiam vender e principalmente aquelas que dominavam as técnicas de vendas on-line. Após consumir muitos livros de autoajuda, eu me deparei com uma entrevista que o autor Tony Robbins fez com um sujeito chamado Jeff Walker.

Jeff Walker estava tendo muito sucesso com uma fórmula de marketing. Eu vi três vídeos dele e investi 10 mil dólares em um de seus cursos: 5 mil dólares pelo curso (que era metade on-line, metade presencial, em Los Angeles, na Califórnia) e o restante para cobrir as despesas das viagens.

Pela primeira vez, alguém organizou o conhecimento e o transmitiu de maneira eficaz para a geração de resultados a partir do uso da internet! E isso foi um divisor de águas em minha vida pessoal e profissional.

Depois de ter refeito um relançamento do meu negócio, utilizando a Fórmula de Lançamento, meu faturamento passou para 100 mil reais logo na primeira semana (alcançando a marca de 450 mil reais naquele ano, 2010).

A partir de então, tentei usar outras fórmulas, e elas me davam um bom resultado, mas nada que se comparasse com a Fórmula de Lançamento. Em sintonia com meu irmão Hugo, começamos a aplicar uma técnica chamada "empilhamento de lançamento": lançamento de 100 mil reais passou para 250 mil reais; de 250 mil reais, passou para meio milhão; de meio milhão, para sete dígitos; de mais de um milhão, para múltiplos de sete dígitos, porque estudamos bastante e dominamos a técnica aprendida.

Com esses números me tornei o primeiro brasileiro a ter feito um faturamento de mais de um milhão de reais em menos de 24 horas. Não faço esse relato para me vangloriar, mas para mostrar a você que é extremamente possível alcançá-lo.

Depois de atingir essa marca e me encontrar numa situação financeira confortável, com minhas empresas estáveis, percebi que tinha a oportunidade de criar outro projeto. E dessa vez ele seria realmente voltado para o que amo e acredito, que é o empreendedorismo.

Acredito na transformação que o empreendedorismo provoca em toda a cadeia que o alimenta e, a partir disso, voltei para o Brasil e, junto com o Hugo, comecei a ensinar a Fórmula de Lançamento, pois pude vivenciar o poder da mudança que ela provoca.

A Fórmula de Lançamento trabalha diferentemente do jeito tradicional de fazer marketing, que eu chamo de "marketing de esperança". Para fazer um negócio rodar, é preciso ter uma previsibilidade de resultados, e não uma esperança de atingi-los. Para elucidar o que seria um "marketing de esperança", vou exemplificar uma situação: em uma página de vendas na internet, a pessoa coloca um logo, a foto e a descrição do produto (às vezes alguns benefícios), e então lança o botão onde o cliente deverá clicar para efetuar a compra.

Por ter muita informação, na maioria das vezes, uma página como essa não invoca emoção e muito menos a vontade de comprar. Ela pode ser até eficiente e funcionar para muitos negócios, no entanto não funciona tão bem quanto se fosse aplicada à fórmula que estou lhe ensinando.

A Fórmula de Lançamento divide nosso cérebro em basicamente duas partes: neocórtex e sistema límbico. Para o primeiro ficou a função que interpreta a linguagem. E o ser humano possui essa parte muito bem evoluída, por isso é capaz de se comunicar (entender e ser entendido). Para o segundo ficou a função de controlar as emoções e os instintos de sobrevivência, e as nossas decisões (em sua maioria) são baseadas em emoções. O sistema límbico toma a decisão e o neocórtex simplesmente a justifica. Um bom exemplo seria que se fosse o neocótex quem tomasse a decisão, não teria ninguém acima do peso, comendo frituras demais, sem se exercitar, pois todo mundo sabe que esses comportamentos são propensos a desenvolver infartos com maior frequência.

Portanto, dizemos que o marketing de esperança fala com o neocórtex e a Fórmula de Lançamento, em quase sua totalidade, com o sistema límbico. E ela faz isso através de gatilhos mentais (quando você tem a tendência de prestar atenção em alguma coisa e tomar ação sobre ela). A fórmula possui cerca de 20 gatilhos mentais, e agora você vai aprender seis, para ter uma percepção melhor do conceito e de sua utilização.

A autoridade é o primeiro gatilho mental. Se julgarmos que determinada pessoa possui autoridade, logo prestamos atenção nela e acatamos o que ela nos orienta a fazer. Por exemplo, um policial fardado ou um sacerdote de batina – geralmente pessoas uniformizadas geram autoridade. Se no seu mercado você conseguir essa percepção de autoridade, sua capacidade de conversão será muito maior, pois as pessoas prestarão atenção em você e vão reagir quando você falar.

O segundo gatilho implantado é a reciprocidade, pois é natural do ser humano se sentir na "obrigação" de retribuir alguma gentileza ou serviço prestado.

A comunidade é o terceiro gatilho e é importante porque o ser humano gosta da vivência em comunidade e dá valor a ela. É fundamental para ele cercar-se de pessoas que possuem os mesmos desejos e valores, e quase sempre isso é fator de decisão na hora de permanecer ou não em determinado emprego, por exemplo.

O quarto gatilho é a conversa. Em geral estamos mais interessados no que temos para falar do que em ouvir o que as outras pessoas têm a dizer. Então, quando você dá oportunidade do seu prospecto falar, ele presta atenção e se engaja – e, até o advento da internet, não era possível inserir comunidade ou conversa no nosso marketing.

A antecipação é o quinto e mais poderoso gatilho que existe. Se você sabe que alguma coisa muito importante está para acontecer, esse gatilho fica muito intenso dentro de você, como, por exemplo, a final de um campeonato de futebol, o término de uma novela ou até uma prova de concurso. Você fica vidrado, a tensão é quase incontrolável.

O sexto gatilho, também muito forte, é a escassez. Queremos mais daquilo que temos menos. Enquanto estiver tudo disponível para nós, não damos muito valor, porém a partir do momento que perdemos o acesso passamos a valorizar o que antes tínhamos e não usufruíamos. Eu, por exemplo, quando morei em Londres, poderia assistir *O fantasma da ópera* todos os dias, mas não fui um dia sequer; somente quando voltei para o Brasil percebi a oportunidade que tive e não aproveitei.

Perceba então que, para conectar esses e os demais gatilhos mentais em um lançamento bem orquestrado, usando a Fórmula de Lançamento, a primeira coisa a ser feita é estender o processo de venda para, em média, de dez a catorze dias (com isso, o fator de antecipação é conectado).

É importante que você saiba que a venda, na Fórmula de Lançamento, é dividida entre três ou quatro conteúdos de pré-lançamento. Quatro conteúdos de lançamentos conhecidos como: "CPL 1", "CPL 2", "CPL 3", "CPL 4". Vou detalhar agora cada um desses momentos, e você entenderá não somente a funcionalidade deles, mas também como colocá-los em prática no seu negócio on-line.

No primeiro conteúdo, você fornece uma informação de extremo valor, que seja capaz de resolver o problema do seu avatar e o deixe muito feliz. Isso criará uma autoridade, pois estando em uma plataforma de comunicação, as pessoas o veem como uma autoridade – independentemente de quem você seja.

E o mesmo ocorre com o palestrante, professor etc. Quando você ensina algo de extremo valor para sua comunidade, além da autoridade, o gatilho de reciprocidade é acionado. Ao dar oportunidade para as pessoas comentarem seu vídeo, por exemplo, você gera comunidade, e a partir desse fator, elas percebem que não estão sozinhas e começam a conversar entre si.

Alguns dias depois, você reforça com o segundo conteúdo de pré-lançamento todos esses gatilhos e indica que uma solução mais completa está por vir. Com isso, a antecipação foi gerada, o que torna o processo ainda mais interessante, pois as pessoas começam a se programar.

No terceiro conteúdo de pré-lançamento, você potencializa todos esses gatilhos e insere o da escassez. Informa que a oportunidade é limitada, pois isso fará com que as pessoas esperem pelo dia da venda, pois sabem que ela não durará para sempre. E é por isso que, quando se abre o carrinho no período de quatro a cinco dias (algumas pessoas fazem sete dias), esse tipo de estratégia tende a criar uma explosão de venda. Com autoridade, antecipação, escassez, conversa, reciprocidade e comunidade, tende a gerar e converter resultados (muita gente reporta até que gerou um ano de vendas em sete dias).

Outro fenômeno interessante que acontece na Fórmula de Lançamento e é de grande valia que você saiba é o que eu chamo de "balelômetro" ou "velocímetro da balela". É um medidor imaginário que todos temos e diz o seguinte: quando você ouve uma coisa, ele começa a indicar se aquilo é "balela" ou se é "100% confiável".

Quando você começa a falar uma coisa para a pessoa, principalmente quando a ideia é nova, um conceito que ela nunca aprendeu, ela classifica aquilo como "balela" ou "100% confiável". Quando um vendedor profissional quer lhe vender algo, provavelmente no primeiro momento você diz que o benefício que ele tanto prega sobre o produto é uma "balela" só para lhe convencer a comprar. No entanto, se for alguém do seu círculo de confiança (pai, amigo, mãe, sócio etc.), automaticamente você vai dizer que é "100% confiável", por acreditar que essa pessoa não teria a intenção de o prejudicar ou enganar.

Durante um lançamento, seu prospecto vai aprendendo a confiar em você pelos fatores engatilhados que foram propostos para ele e, no momento da venda, ele está com quase 100% de confiança em você (raramente se chega aos 100%), e isso gera rajadas de vendas.

Existem sete tipos de lançamentos que ensino, porém todos possuem a mesma base. Alguns deles, por exemplo, são usados para quem quer começar do zero e lançar um produto com um lançamento semente (um jeito de você pré-financiar a criação do seu produto).

Com a Fórmula de Lançamento, é possível atingir positivamente os diferentes nichos de mercado e com os diversos produtos, gestores e consumidores. Quando me dou conta de que o empreendedorismo que desenvolvo é capaz de transformar vidas, fico emocionado e instigado a levantar todos os dias para trabalhar. Acredito que esse é um caminho que fará grande diferença para o nosso Brasil.

O caminho que trilhei e que agora recomendo para você, leitor, é fazer do empreendedorismo uma chance para transformar sua vida, aumentar seu faturamento e, em especial, impactar e modificar positivamente a vida de outras pessoas.

Lições Aprendidas

As nossas decisões são baseadas em emoção.

A maior parte das páginas de venda na internet não invoca emoção nem a vontade de comprar.

A Fórmula de Lançamento traz previsibilidade de resultados. É uma estratégia que invoca emoção através dos gatilhos mentais.

Gatilhos mentais

1. Autoridade: prestamos atenção em autoridades e acatamos o que elas nos orientam a fazer. Sua capacidade de conversão é maior se você conseguir a percepção de ser autoridade no seu mercado. As pessoas prestarão atenção em você e reagirão quando você falar.
2. Reciprocidade: o ser humano naturalmente se sente na "obrigação" de retribuir alguma gentileza ou serviço prestado.
3. Comunidade: o ser humano valoriza viver em comunidade. As pessoas se cercam de pessoas que possuem os mesmos desejos e valores.
4. Conversa: em geral, pessoas têm mais interesse em falar do que ouvir. Dê oportunidade para seu prospecto falar. Isso aumenta a atenção e o engajamento dele. A internet ampliou a capacidade de conversa com seus prospectos.
5. Antecipação: quando as pessoas sabem que algo muito importante está para acontecer, a expectativa fica muito forte dentro delas.
6. Escassez: as pessoas valorizam mais o que é escasso.

Um lançamento bem orquestrado conecta da forma correta os gatilhos.

A Fórmula de Lançamento estende o processo de venda para 10 a 14 dias, em média, utilizando de conteúdos de pré-lançamento (CPLs).

- No CPL1, você fornece informação de extremo valor, que seja capaz de resolver o problema do avatar. Isso aumentará a percepção de autoridade que você tem com aquela pessoa, além de gerar reciprocidade nela. Ao dar oportunidade de as pessoas comentarem seu vídeo, por exemplo, você gera uma comunidade, porque elas percebem que não estão sozinhas.
- Dias depois, você disponibiliza o CPL2, que reforça todos os gatilhos do CPL1 e indica que uma solução mais completa está por vir. Isso desperta o gatilho da antecipação nas pessoas.
- No CPL3, você potencializa os gatilhos anteriores e insere o da escassez. Informa que a oportunidade é limitada e vai durar por pouco tempo. Isso gera uma explosão de vendas.

Quando você apresenta uma nova ideia ou um novo conceito para uma pessoa, ela tende a não acreditar naquilo, acha que é "balela". Entretanto, um lançamento é feito de forma que, utilizando os fatores engatilhados, as pessoas já confiam muito mais em você, e isso gera rajadas de vendas.

A Fórmula de Lançamento é o método de vendas de maior sucesso até hoje no empreendedorismo digital. Para baixar o bônus deste capítulo, acesse **www.conaed.com.br/negociosdigitais-ericorocha**. Espero você lá. ■

CAPÍTULO 16

O EMPREENDEDORISMO E O DESENVOLVIMENTO PESSOAL

André Lima

Há pessoas que cruzam seu caminho para transformar completamente sua vida. No mundo do empreendedorismo e marketing digital existem diversas pessoas assim. Algumas ensinam técnicas mais operacionais, outras ensinam a forma de pensar e de se conhecer. Até este momento, este livro apresentou a mentalidade empreendedora, mostrou as possibilidades de atuação através da internet, mostrou como construir sua "casa virtual", como atrair convidados até ela, como se relacionar com os convidados, como conquistar a confiança para fazer as vendas, como avaliar se você está no caminho certo. Tudo o que foi apresentado até aqui é de extremo valor, mas não gera nenhum resultado se não for colocado em prática. E muita gente não coloca em prática ou não decola porque se limita. Sabendo disso, fiz questão de convidar André Lima para abordar o assunto – mostrar a você as razões pelas quais talvez ainda não tenha chegado ainda mais longe. Considero esse tema de suma importância. Pessoalmente, o André transformou muito a minha vida com seus ensinamentos. Acredito que isso também pode acontecer com você. Para você decolar, fique agora com André Lima.

Alan Pakes

Se eu lhe perguntasse o que o impede de ser um empreendedor de sucesso, será que você saberia me responder com exatidão?

Quando questiono as pessoas, elas, na maior parte das vezes, não conseguem apontar com clareza o que as faz "paralisar" mediante os processos de seus negócios.

Alguns se queixam da pouca habilidade com tecnologia, outros citam a dificuldade de tocar um negócio sem ter um capital para injetar, há, ainda, aqueles que desconfiam "dessas pessoas que ganham dinheiro na internet", e por aí vai.

Isso sem falar naqueles que desejam partir para o empreendedorismo, mas ainda estão enraizados num emprego fixo que lhes suga tempo e energia, tomando todo o espaço que poderia ser dedicado à construção de uma carreira nova, autônoma, mais prazerosa e talvez mais rentável.

O que eu observo, nesses vários anos de experiência com o trabalho de desenvolvimento pessoal, é que as pessoas constroem dentro de si mesmas algumas verdades que não existem. Elas alimentam um sentimento – que depois vira certeza – de que aquilo que desejam não é possível ser alcançado. Ou seja, o sujeito quer pedir demissão do emprego e se tornar um empreendedor, mas existem forças que o puxam para baixo. E então ele se paralisa e não toma uma atitude em direção ao que sonha para si.

Portanto, se você já iniciou seu caminho rumo ao empreendedorismo, mas ainda não obteve resultados concretos e palpáveis, ou se deseja entrar nesse meio, mas ainda não tomou a atitude de cortar o cordão umbilical com seu emprego fixo, pense que talvez sua mente esteja com uma supercarga de crenças que estão limitando seu pontapé inicial ou seu crescimento em direção ao sucesso.

Houve uma época em minha vida em que passei por uma situação como essa. Parecia que uma força negativa me puxava para baixo. Eu já tinha minha empresa, no ramo da engenharia (sou engenheiro de formação). No entanto, os resultados nunca chegavam, o sucesso era algo distante, e os meus dias eram repletos de situações de estresse, irritabilidade, pressões e frustrações.

Tecnicamente, eu era bom, porém emocionalmente eu não me conhecia e não costumava me desenvolver como pessoa. Foi quando entrei em crise geral e resolvi tomar uma atitude, buscar um novo rumo, encontrar uma saída.

Mantive a empresa, mas paralelamente resolvi mergulhar numa jornada de desenvolvimento pessoal através de cursos, trabalhos terapêuticos e vivências de autoconhecimento. Nessa época, vários livros, artigos e palestras me ajudaram em minhas pesquisas e buscas.

A partir daí, um novo mundo se abriu bem diante dos meus olhos. Todos os empecilhos que eu achava que tinha se dissolveram. Foi quando descobri quanto potencial nossa mente tem e como usamos isso contra nós, ao invés de usarmos a nosso favor.

E depois de muitos processos de compreensão pelos quais passei, cheguei a um momento de vida em que havia alcançado a estabilidade emocional e sabia que caminho gostaria de seguir dali por diante. E então tomei a decisão de sair da empresa sem levar nada dela, mudar de profissão e começar tudo do zero. Foi assim que me tornei terapeuta.

Quando passei a me dedicar somente aos estudos e às práticas dessa carreira, percebi que meu radar mental passou a ficar mais atento, comecei a perceber a quantidade de mensagens negativas que recebia por dia – a forma como alguns jornalistas nos passam notícias na TV e nos jornais, frases soltas ditas por pessoas de minha família, mensagens extremamente influenciadoras do nosso emocional sendo exibidas em filmes, novelas e até livros de ficção.

Se você passa a exercitar esse radar de negatividade, é impressionante como descobre uma série infinda de crenças limitantes que nos puxam para baixo todos os dias. É quase como uma epidemia de mensagens pessimistas que grudam no nosso inconsciente e nos fazem "adoecer". E a maior parte das pessoas nem se dá conta de que está sofrendo de uma verdadeira doença mental ou psicológica.

Vamos a alguns exemplos? Desde os contos de fadas, passando por novelas de TV, até chegar às obras cinematográficas, não é raro encontrarmos um mesmo folhetim: o magnata que é avarento, a madrasta rica que é mau-caráter, o jovem herdeiro que sofre de solidão, o milionário que trapaceia e humilha as pessoas, e assim por diante.

No mundo do entretenimento – que deveria nos divertir em nosso tempo livre – as mensagens transmitidas são sempre as de que: pessoas que têm dinheiro não prestam e, geralmente, não conseguem um "final feliz".

E, a partir dessas histórias – que são também transmitidas de pai para filho, de família para família, por inúmeras gerações –, passamos a internalizar uma ideia que vira verdade intransponível: dinheiro é algo sujo. Se você atingir uma prosperidade financeira, será visto como alguém de caráter duvidoso, como um ser arrogante e mesquinho, e, pior, tem gente que vai dizer até que você é o sujeito que vendeu a alma ao diabo.

É raro ouvir histórias de pessoas bem-sucedidas que prestigiam a família e fazem algo benéfico para a sociedade. Esse tipo de personagem não dá audiência, "não vende", ninguém quer ver porque não se acredita que isso possa ser verdade.

Estatisticamente, a audiência (o que mais interessa às pessoas) gira em torno de problemas, tragédias, desgraças e coisas ruins de todo tipo. E nossa mente, ao assimilar todo esse "lixo de negatividade", vai ficando entupida, minando nossa capacidade de nos permitir viver bem financeiramente e mesmo enriquecer.

Você sabia que a maior parte das pessoas que ganha na loteria não consegue manter o dinheiro conquistado e perde tudo em pouco tempo? A mente delas não está preparada para viver com um nível financeiro muito superior ao que possuía antes.

O inconsciente delas vai levá-las a gastar todo o dinheiro, usando justificativas racionais que, aparentemente, fazem sentido: comprar uma casa maior e mais confortável para a mãe, renovar todo o guarda-roupa da esposa com peças de grife extremamente caras, emprestar dinheiro aos amigos queridos que estão na pior, comprar aquele carro caríssimo com o qual sempre sonhou, triplicar os gastos com consumo de supermercado e despesas mensais etc.

O fato é que, em geral, quando as pessoas passam a ganhar mais, elas começam a gastar mais, o que as impede de acumular dinheiro. E essa premissa serve para o empreendedor também.

Quando seu negócio começar a dar algum dinheiro, mesmo que seja pequeno, esteja atento ao destino que você dará a ele e tente controlar o impulso de gastar com coisas que não são essenciais à sua vida no momento.

E quando os números começarem a se tornar mais expressivos, se você não entende de finanças e se sentir um pouco perdido sobre como administrar os ganhos, meu conselho é: faça um curso, procure um consultor, não deixe que a falta de conhecimento no ramo e os pensamentos de autossabotagem puxem-no para baixo, fazendo com que você gaste naquilo que não precisa.

O que normalmente acontece é que as pessoas sentem culpa quando começam a ganhar dinheiro fazendo o que gostam. Fomos criados com a ideia de que "fazer o que dá prazer" deve ser apenas adotado como hobby ou lazer – algo que você faz no seu pouco tempo livre (finais de semana, em geral). E, em contrapartida, o trabalho – que ocupa o 80% do seu tempo de segunda a sexta – deve ser algo chato, sofrido, doloroso, por fim, uma obrigação.

Dessa forma, quando alguém passa a empreender e se sente feliz 80% do tempo, invertendo a escala, o inconsciente sente essa mudança, e, se você não estiver emocionalmente preparado, pode começar a se autossabotar sem nem perceber.

Costumo identificar 3 níveis de autossabotagem:

1. Quando as pessoas estão vivendo num estado de ignorância do campo do autoconhecimento e nem percebem que estão se sabotando o tempo todo.
2. Quando iniciam algum trabalho de desenvolvimento pessoal e passam a ter consciência de que se sabotam, porém ainda não conseguem se libertar disso.
3. Quando já estão trabalhando suas crenças e suas limitações e começam a perceber algumas mudanças positivas, embora sintam que ainda há muito a ser desenvolvido para se libertar da autossabotagem.

E, por fim, existe um degrau acima desses níveis de autossabotagem que é o espaço de cura do seu inconsciente. É quando as pessoas já se sentem libertas, passam a se permitir o sucesso e começam a promover ações efetivas que geram resultados cada vez melhores.

No meu trabalho com autoconhecimento e desenvolvimento pessoal, ajudo as pessoas a identificar suas crenças limitantes – na área financeira, profissional ou familiar – e atuar mentalmente para eliminá-las.

Ao longo da minha profissão, cheguei a atender muitas pessoas que sonhavam em seguir esse caminho do empreendedorismo, mas relatavam as dificuldades pelas quais passavam e ansiavam por obter resultados concretos e palpáveis que demoravam a chegar.

Nesses casos, o que percebo é que essas pessoas têm competência para tocar seu negócio, mas acabam esbarrando nas próprias crenças limitantes. Por exemplo, vamos imaginar que um sujeito tem um emprego e vive pensando: "Poxa vida, quero ser empreendedor, ter autonomia e não ser mais chefiado. Contudo, ao mesmo tempo, tenho medo, porque a vida de empreendedor é instável, e dizem que não tem como manter uma boa renda. Fiquei sabendo que a Maria tentou e não conseguiu. O João também está lá cheio de arrependimentos...".

Ou seja, esse tipo de pensamento em cadeia vai criando um sentimento na pessoa de que aquilo não é possível. Ela deseja sair do emprego e se tornar autônoma, mas está sendo sugada por forças negativas que a paralisam.

E por que isso acontece? Essa rede de pensamentos que o limitam constitui os pilares de crenças que ele ouviu durante toda a vida – pela boca do pai, da mãe, de amigos, do professor, da namorada, da TV, das igrejas, enfim, da sociedade em geral.

Saiba que, quando você está preso nas crenças limitantes, quem está decidindo as coisas por você não é você: é a crença que carrega. Por isso, a técnica da EFT (Emotion Freedom Techniques) ajuda muita gente a resgatar a consciência mais profunda que, muitas vezes, encontra-se sufocada por essa onda de negatividade.

Quando você se cura, seus olhos passam a enxergar as coisas com outra lucidez. O caminho que antes era arriscado e cheio de perigos passa a se abrir bem diante de você, mostrando-lhe um cenário possível de habitar.

E nesse momento você passa a governar sua realidade, tomar as decisões certas e reencontrar-se com a sua missão de vida – que é algo muito importante, especialmente para aqueles que sonham com o empreendedorismo.

O autoconhecimento é a chave para que você desperte e entenda uma porção de coisas: o que gosta de fazer de verdade? Que pessoas quer ajudar? Como realizar as coisas que deseja?, entre outras questões de igual importância!

Eu, por exemplo, não sabia qual era a minha missão de vida e, quando descobri o que eu vim fazer aqui neste planeta – trabalhar com autoconhecimento e ajudar as pessoas –, passei a buscar a realização disso com todas as minhas forças.

Eu não me preocupava muito com dinheiro, porém, quanto mais eu insistia e me mantinha no caminho da missão, mais eu prosperava. Algum tempo depois, entendi que quando passei a trabalhar feliz, sem duvidar de mim e daqueles objetivos, meus problemas financeiros acabaram.

Teve uma época da minha vida em que a segunda-feira era o pior dia da semana! Isso sem falar nas noites de domingo, em que eu já começava a sofrer, porque dali a poucas horas teria de entrar num escritório de engenharia e passar a semana toda respirando aquelas atividades que em nada me satisfaziam. Contudo, mesmo assim, eu continuava nesse ciclo, completamente cego, sem perceber que somente eu poderia me salvar daquela vida que eu não desejava mais ter.

Muitas pessoas me perguntam como foi que eu, naquela vida estressante, com uma profissão ligada à área de exatas, sem nenhuma influência familiar que me conduzisse à busca pelo autoconhecimento, consegui me transformar.

Costumo dizer que iniciei minhas descobertas através dos livros. Passei a devorar todo tipo de leitura que falasse em autoconhecimento e desenvolvimento pessoal. E as coisas foram, aos poucos, surgindo na minha frente. Não mudei minha vida num passe de mágica nem encontrei algum tipo de solução milagrosa.

O que eu quero dizer é que existe um processo pelo qual todos nós temos de passar para alcançar o conhecimento do qual necessitamos para promover transformações de vida: leituras, técnicas, vivências, terapias, tudo o que possa nos encaminhar para um estágio de consciência mais elevado.

Para isso, recomendo a técnica na qual baseio meu trabalho terapêutico, que é chamada EFT. Ela consiste na prática da liberação emocional das pessoas e tem ajudado muitos empreendedores a se liberar de suas crenças limitantes e tocar seus negócios como parte da missão deles no mundo.

Atualmente, não faço mais atendimentos individuais, porque prefiro me dedicar ao ensino dessa técnica de maneira que ela possa impactar uma quantidade maior de pessoas – em vez de continuar dando assistência um a um.

E isso só foi possível quando passei a ver no universo on-line uma série de possibilidades! Comecei colocando um site na internet com informações sobre o tema, depois escrevi um e-book explicativo no qual ensino passo a passo como fazer a EFT em casa e depois passei a gravar também uma série de vídeos.

Ao me sentir mais confortável diante de uma câmera – e contagiado pela missão de alcançar cada vez mais pessoas –, criei um programa on-line em que todo o método é ensinado. E posso afirmar que o marketing digital foi um divisor de águas na minha jornada como empreendedor.

O ambiente digital, quando bem explorado em todas as suas plataformas e ferramentas, pode nos dar um alcance enorme! E o mais interessante é que aprendi a EFT com Gary Craig, criador da técnica, e ele já utilizava, naquela época, os recursos do marketing digital existentes para transmitir, ensinar e divulgar seus conhecimentos na área.

Eu recebia e-mails da Lista do Gary e ficava impressionado com a forma como ele se relacionava com as pessoas na internet. Sempre com muita interação, generosidade, solicitude. Foi quando pensei: "Por que não levar a técnica da EFT para o Brasil e tentar também explorar esse mundo digital tão rico em possibilidades?".

E, de lá para cá, através da internet, tenho como me comunicar e transmitir meu conhecimento a pessoas que vivem em qualquer cidade do Brasil e do mundo, basta que, para isso, elas tenham algum tipo de conexão. No meu site, disponibilizo uma série de conteúdos gratuitos de forma que as pessoas possam conhecer e entender o que é a EFT e de que modo ela age.

Para que você possa sentir mais de perto as transformações que essa técnica pode fazer na jornada de um empreendedor, coloco aqui um depoimento do Douglas, que fez o curso Mente Próspera e relata como conseguiu resultados 5 vezes maiores em seu negócio depois que começou a aplicar a EFT em seu dia a dia:

> Quando passei a usar a EFT, consegui perceber que a procrastinação era um grande obstáculo para alcançar a prosperidade e eu vi que esse problema estava relacionado com outras questões que eu nem sabia. Questões referentes a um grande trauma de minha adolescência que foi o falecimento do meu pai. Vivi carregando um grande peso no coração por causa dessa perda. Meu pai gostava de jogar e tinha muitos problemas com dinheiro por conta disso. E, por fim, hoje sei que muitas das minhas dificuldades em me tornar mais próspero estavam ligadas a isso. Depois do trabalho com a EFT, consegui me desprender de várias crenças e sentimentos negativos e hoje a minha vida mudou: faço atividades físicas todos os dias e a minha alimentação está totalmente diferente! E vale dizer que fiz as práticas da EFT para alcançar a prosperidade, mas isso teve um efeito positivo em todos os aspectos da minha vida, basicamente. Depois do processo com o André Lima, consegui me aliviar dos pesos que eu carregava, me livrei das crises de ansiedade e passei a me concentrar nas coisas que preciso fazer

dia após dia. Com isso, o meu rendimento profissional passou a ter muito mais qualidade, e os resultados vieram de maneira expressiva. Posso dizer que ganho hoje 5 vezes mais do que antes. Eu via as coisas de maneira turva – e negativa. E a EFT veio para fazer uma grande limpeza nos meus pensamentos, atitudes, certezas. E o mais impressionante é que a gente sente o alívio e a mudança de forma muito rápida. Isso dá mais entusiasmo para continuar com o tratamento porque você se sente diferente, mais leve... e melhor.

Diante de tudo o que foi exposto aqui neste capítulo, minhas dicas finais são: dê o melhor de si, acredite na sua força interior, invista no marketing digital para disseminar seu conteúdo com as pessoas e, o principal, busque algum tipo de trabalho de autoconhecimento e desenvolvimento pessoal para liberar sua mente das crenças limitantes.

Com o tempo, você verá índices expressivos nos resultados das suas ações, o que fará do seu negócio um grande sucesso. E, quando você tiver alcançado alguns dígitos a mais na sua conta bancária – algo antes impensável –, isso já não vai ser tão importante comparado à chance que você estará tendo de ajudar as pessoas por meio de algo que você sabe fazer bem: seu trabalho.

Lições Aprendidas

As pessoas constroem dentro de si mesmas verdades que não existem. Alimentam um sentimento, que vira certeza, de que algo que desejam é impossível de ser alcançado. Isso as paralisa, então não tomam atitude em direção ao que sonham para si.

Avalie se sua mente não está com sobrecarga de crenças que limitam você para iniciar ou crescer em seu negócio.

Há uma epidemia de negatividade, mensagens pessimistas que grudam em nosso inconsciente e nos fazem "adoecer". As pessoas nem se dão conta de que estão sofrendo com isso.

Nossa mente, ao assimilar o "lixo da negatividade", fica entupida, minando nossa capacidade de nos permitir viver bem financeiramente e até de enriquecer, pois passamos a internalizar uma ideia que vira verdade intransponível: que dinheiro é sujo.

As pessoas, quando passam a ganhar mais, também começam a gastar mais. Isso as impede de acumular dinheiro. A mesma premissa vale para o empreendedor. Esteja atento ao destino que você dará ao dinheiro que vai ganhar com seu negócio. Tente controlar o impulso de gastar com coisas que não são essenciais à sua vida no momento.

Quando você passa a empreender e se sente feliz 80% do tempo, invertendo a escala, o inconsciente sente essa mudança. Se você não estiver emocionalmente preparado, pode começar a se autossabotar sem nem perceber.

Os 3 níveis de autossabotagem:

1. Estado de ignorância do autoconhecimento. Não perceber que está se sabotando.
2. Iniciar algum trabalho de desenvolvimento pessoal e passar a ter consciência da autossabotagem, mas sem conseguir se libertar disso.
3. Trabalhar as crenças e as limitações. Começar a perceber algumas mudanças positivas, mesmo que se note que ainda há muito para ser desenvolvido para se libertar da autossabotagem.

Existe um degrau acima desses níveis de autossabotagem que é o espaço de cura do seu inconsciente. É quando você já se sente libertado, passa a se permitir o sucesso e começa a promover ações efetivas que geram resultados cada vez melhores.

Quando você está preso nas crenças limitantes, quem decide as coisas por você não é você: é a crença que carrega.

Quando você se cura, seus olhos passam a enxergar as coisas com maior lucidez. Então você passa a governar sua realidade, tomar as decisões certas e reencontrar-se com sua missão de vida – que é algo muito importante, especialmente para aqueles que sonham com o empreendedorismo.

O autoconhecimento é a chave para que você desperte e entenda: o que gosta de fazer de verdade? Que pessoas quer ajudar? Como realizar as coisas que deseja?, entre outras questões de igual importância!

Dê o melhor de si, acredite na sua força interior, invista no marketing digital para disseminar seu conteúdo para as pessoas e, o principal, busque algum tipo de trabalho de autoconhecimento e desenvolvimento pessoal para liberar sua mente das crenças limitantes.

Com o tempo, você verá índices expressivos nos resultados das suas ações, o que fará do seu negócio um grande sucesso. E, quando você tiver alcançado alguns dígitos a mais na sua conta bancária, isso já não vai ser tão importante comparado à chance que você terá de ajudar as pessoas por meio de algo que você sabe fazer bem: seu trabalho.

Sensacional este capítulo do André Lima. Pessoalmente, quando compreendi a importância de tudo o que ele ensina, minha vida deu saltos de qualidade. Por favor, acesse o **www.conaed.com.br/negociosdigitais-andrelima** para obter o bônus especial deste capítulo. ■

CAPÍTULO 17

COMO PROSPERAR COM INFOPRODUTOS ALINHADOS COM SUA MISSÃO DE VIDA

Bruno Gimenes

Devo fazer uma confissão. Você vai começar a ler o capítulo de uma das pessoas que eu mais admiro em todo universo do empreendedorismo e marketing digital. Estou falando do Bruno Gimenes. Como costumo dizer no meu palavreado, ele é um monstro. É uma pessoa com propósito totalmente alinhado, o que transfere muita identidade e autenticidade ao seu trabalho. Ele vive exatamente o que ele ensina. E, mais, o interesse do Bruno em ajudar as pessoas é um verdadeiro exemplo a ser seguido. Propositalmente, coloquei o capítulo dele nesta parte final do livro. Isso porque desejo que você finalize o livro deixando fresco em sua memória um dos assuntos mais importantes tratados aqui: a mentalidade de servidão genuína que permeia os empreendedores digitais. Se você quer ter resultados incríveis em sua vida, leia com toda atenção do mundo o que o Bruno colocou neste capítulo e pratique seus ensinamentos. Sua vida e a vida das pessoas que você influencia vão melhorar muito. É hora de você ler e comemorar por aprender o que o Bruno tem a dizer...

ALAN PAKES

Você já sentiu um nó na garganta e não soube o que fazer? Eu também! E foi difícil ser e estar no mundo numa época em que a informação não tinha a acessibilidade e a rapidez que tem nos dias de hoje, num tempo em que as pessoas guardavam seus sentimentos e não tinham muito como compartilhá-los com os outros.

Contudo, deixe eu lhe contar essa história do começo! Em meados de 1999 eu sentia um profundo vazio no meu peito, a cada manhã eu levantava, tomava café e chorava.

Eu estava com depressão, e aquela vida me consumia. O vazio aparentemente injustificado surpreendia as pessoas ao redor, que diziam: "Você é perfeito, feliz, tem tudo o que uma pessoa precisa, como pode estar tão triste?". Aquela apatia sem explicação era maior do que qualquer conquista naquele momento. Numa instabilidade emocional constante, percebi que antes de seguir em frente eu precisava me alinhar comigo mesmo e decidi apostar no autoconhecimento para me reconectar. Foi quando comecei a estudar terapias alternativas, curas naturais e espiritualidade universalista.

Não faço parte de nenhuma religião, mas estudo todas elas, pois acredito numa força maior, a grande existência e energia da natureza, e que o caminho para me conectar a essa força exige estudo e esforço. Essas descobertas me levaram a um movimento inevitável, uma mudança necessária: abandonei as certezas e a segurança financeira do trabalho formal – mesmo tachado de louco por amigos e familiares – e mergulhei na descoberta das terapias alternativas e do autoconhecimento.

Nessa imersão, percebi que só havia uma maneira de encontrar a felicidade: descobrir a missão da sua alma. Todos nós temos uma orientação interna que norteia nossas decisões de forma não só racional, mas corporal e energética, e quando ouvimos essa inclinação todo o nosso corpo, físico e espiritual, estará voltado para cumprir essa missão. É como uma bússola interna que vai guiando nossos sentidos, mas infelizmente o ser humano está tão desacostumado a ouvir sua voz interior, como se isso fosse completamente fora de moda ou desnecessário, que ele perdeu completamente a conexão consigo mesmo. Viver sua verdade é olhar para dentro e ver o que sua alma pede para sua vida. E foi essa descoberta que motivou essa importante mudança no curso da minha existência.

Pode parecer curioso associar empreendedorismo digital à espiritualidade. Contudo, em anos de estudos, buscando alcançar a plenitude profissional e pessoal, ficou claro para mim que a insatisfação existe quando esse fator essencial – a alma – é desconsiderado.

Vivemos numa época em que não há tempo. Uma vida de urgências e decisões irrefletidas que não respeitam nossa essência.

Quando desconsideramos os sinais, nós nos impulsionamos a ações movidas por obrigação, impulso, senso de responsabilidade, mas não por amor.

E a motivação errada, além de limitar o desenvolvimento de nossas atividades, pode causar muita dor e insatisfação. Posso assumir essa como a primeira grande descoberta que mudou minha vida. Você deve estar pensando que nesse momento tudo mudou, e eu finalmente alcancei o esperado sucesso profissional e pessoal. Contudo, ainda não.

Eu me entreguei a um mundo novo, mas não estava preparado para ele. Trabalhava três vezes mais e ganhava três vezes menos, mas algo estava diferente, eu não tinha vontade de parar, voltar para minha antiga vida. As dificuldades me motivaram a crescer e construir um trabalho, e de forma natural e orgânica as oportunidades começaram a surgir.

Foi quando conheci Patrícia Cândido, uma grande amiga que hoje é minha sócia, e fundamos uma instituição holística, que desenvolve materiais sobre o tema. As coisas estavam acontecendo, eu era feliz, já estava realizado, mas não tinha prosperidade, a ponto de quase não ter dinheiro para pagar as contas. Contudo, quando estamos conectados com aquilo que desenvolvemos ficamos inteiros e alertas, com percepção apurada para as oportunidades.

Estávamos no ano de 2005, período de intenso desenvolvimento da comunicação por meio da internet, e uma Nova Era começou para o nosso negócio. Criamos um portal chamado Luz da Serra, dentro da temática da espiritualidade, que inicialmente não teve grande repercussão, e em escala de vendas de produtos também não houve crescimento. No entanto, com ele nossa perspectiva mudou, e passamos a olhar menos para o nosso produto e mais para a necessidade de nossos clientes.

Essa mudança de perspectiva foi vital e redefiniu os rumos de nossa empresa, pois entendemos que só conseguiríamos fazer a diferença na vida das pessoas se agregássemos valor a elas.

Eu não tinha a mente treinada para entender o tipo de solução de que meu público precisava, mas a dinâmica desse fluxo começou a clarear quando compreendemos as demandas do cliente e caracterizamos essa necessidade como um problema. É mais ou menos assim: se você detém a informação que pode resolver esse problema ou dor do seu cliente, você tem um infoproduto com grande possibilidade de aceitação. Visto que seu cliente só vai investir financeiramente naquilo que vai lhe trazer um ganho, uma felicidade, atender a sua demanda pessoal. O grande lance do mundo virtual, do empreendedorismo digital, é o produto da informação: o infoproduto. Esse produto precisa ser uma extensão de você, no seu melhor papel para ajudar outras pessoas a serem ajudadas, estando em sintonia com você, fazendo seu coração pulsar mais forte, pois essa postura vai agregar identidade, diferencial e confiabilidade para o consumidor final, possibilitando a ele sentir sua energia, trazendo posicionamento e engajamento além da média.

Contudo, é preciso habilidade para monetizar sua expertise. A informação é um bem imaterial, que precisa de um corpo, uma embalagem apropriada, e eu não sabia empacotar o conteúdo da informação que eu oferecia de forma que as pessoas pudessem ver valor e pagar por aquilo.

E nós entendemos, em pouco tempo, que o empreendedorismo digital poderia nos libertar das amarras burocráticas do mundo físico corporativo. Sem essa problemática de mão de obra para criação de produto físico e até o envio de material pelos Correios, que envolve tempo e custos, conseguimos enxergar o potencial absurdo e o grande alcance possível na comercialização de um infoproduto.

Você pode estar se perguntando: "Ok, Bruno, até aqui ficou claro o processo que transformou sua visão de negócio e sua entrada no empreendedorismo digital, mas o que significa exatamente infoproduto? E no que ele difere de seu produto anterior?". E eu lhe respondo: "Essa é uma importante pergunta, visto que o conceito precisa estar muito claro, para que possamos desenvolver um produto de informação, conhecido no *internet marketing* como "infoproduto". O produto de informação é um serviço que atende a uma demanda especifica do seu cliente, ajuda-o a sair de uma situação A para uma situação B. Em outras palavras, com ele seu público-alvo vai ter uma melhoria na área dele.

Trabalho com emoções, pensamentos e sentimentos. Então, o meu produto de informação ajuda a pessoa a ser mais feliz, descobrir quais problemas de prosperidade que ela enfrenta estão ligados ao comportamento. Tratar emoções e construir caminhos que a levem à missão de alma delas. Com base nesse conceito, entendemos que nossa ação deveria ser direta e em escala, fornecendo para esse avatar uma solução para seu problema, por exemplo: "Ei, avatar. Você tem esse problema? Com este e-book ou programa on-line, você vai sair do ponto A para o ponto B, não em 10 anos, como eu demorei, mas em um mês", "Ei, avatar, com este produto de informação você vai tratar a depressão na verdadeira causa e não com remédio". Assim, podemos considerar que o produto de informação é um conhecimento que você leva ao seu avatar, que faz com que ele ganhe muito tempo, solucione um problema, um ponto de dor, algo que está incomodando a vida dele e, por seu útil e benéfico para ele, ele paga para adquirir.

Toda essa estratégia de produto de informação baseia-se em pesquisa. Você precisa reconhecer qual é o problema do seu avatar e, uma vez que você o compreendeu, constrói um programa de informação que a pessoa pode ou acessar por um e-book, ou por uma série de vídeos, webnários ou um conjunto, para que tenha acesso à informação que ela considera valiosa e vai mudar a vida dela.

Muitas pessoas questionam: "Bruno, mas como conseguir alcançar a confiança do cliente?". Nosso trabalho foi de formiguinha, começamos questionando diretamente a nossa Lista de contatos, que na época era bem pequena, e valorizamos a construção e a ampliação de uma Lista forte e com engajamento. Ou seja, procuramos converter acessos na nossa página em contatos e estimular essa participação por meio de recompensas, do tipo: "Ei, você está acessando este site? Quem sabe baixe essa recompensa digital? Deixe aqui seu e-mail que, além de receber esse e-book, ou vídeo, eu vou continuar mostrando como conquistar resultado A, resultado B ou resultado C". Em outras palavras, é preciso mostrar para seu avatar que você tem condições de resolver o problema dele.

Essa aproximação com o cliente possibilita a construção de um caminho, no qual a pessoa interessada vai ter acesso a conteúdos gratuitos de qualidade e que evidenciem sua expertise no assunto. Caso ela queira se aprofundar a respeito do tema, ela terá sua empresa como referência e se sentirá segura para investir financeiramente no seu conteúdo pago.

Contudo, cuidado! O mundo está borbulhando de ideias para negócios na internet, e, na hora de decidir qual será seu infoproduto, sua escolha pode ser norteada por referências externas, como o que está dando dinheiro no momento ou o sucesso dos outros. Deixando de lado, porém, o que seu coração, sua alma e sua essência estão buscando!

Esse é um dos erros mais recorrentes nesse caso, pois a referência não é porque você é bom nisso e trabalha com facilidade, mas porque alguém já fez e está dando resultado. Ou porque alguém fez e faturou muito. Você entra sedento em um produto que todo mundo está vendendo, ou uma tendência, e isso não tem nada a ver com a sintonia de quem você é em essência. Seu infoproduto ficará fraco, sem novidades, e você não terá energia para fazer tudo o que precisa para ele chegar às mãos do seu avatar.

Agora, você pode me perguntar: "Bruno, será que eu sei alguma informação pela qual as pessoas pagariam?". E eu lhe garanto: no dia em que você se sintonizar com o infoproduto que faz parte de você, terá energia, criatividade e motivação para fazer desse produto um sucesso. Posso garantir isso, pois consegui emplacar mais de 10 produtos, porque eles são uma extensão do que eu acredito na vida, um reflexo da minha vontade de ver o mundo melhor. As pessoas acreditam por se tratar da minha verdade.

O ser humano aqui na Terra tem 3 missões pessoais básicas: evoluir como ser humano, harmonizar-se com seus irmãos de caminhada e gerar bons exemplos. Vamos entender cada uma delas:

Evoluir significa curar suas inferioridades. Quais são elas? Medo, raiva, tristeza, pessimismo, ansiedade. Emoções negativas. Todos nós precisamos constantemente melhorar nesse aspecto. Então, ou você evolui pelo amor, ou pela dor. Se a pessoa vive sintonizada com esse propósito, tudo fica mais fácil.

Harmonizar-se com o outro: amigos, vizinhos, colegas de trabalho, familiares ou até desconhecidos. Você precisa aprender a se harmonizar com as pessoas que convivem com você, e isso depende de compreensão, paciência e doação.

Gerar bons exemplos está ligado a cultivar uma conduta de vida que seja exemplar para as outras pessoas, e ela acaba sendo uma consequência das missões anteriormente citadas, isso porque, quando melhoro como pessoa curando minhas emoções e meus pensamentos negativos, isso faz com que eu me torne alguém em harmonia com as outras pessoas, e obviamente conseguirei alcançar a tranquilidade para ter projetos de vida e conduta da qual eu me orgulhe, tornando-me assim, de forma natural, um exemplo para os demais.

O segredo para você estar em sintonia com a missão de sua alma é que seu infoproduto, de alguma maneira, ajude você a evoluir, melhorar como pessoa, e consequentemente ajude outros a crescer também. Quando eu estou aqui falando do que aprendi nesses dez ou doze anos de trabalho, sinto que posso ajudar você a se ajudar, e isso alimenta minha alma. Além do mais, é muito comum eu receber e-mails de pessoas que tiveram acesso ao meu trabalho que dizem: "Uau, eu vi um conteúdo seu e aquilo mudou a minha vida". Percebo que estou evoluindo, harmonizando-me com outras pessoas, gerando bons exemplos, fazendo aquilo que gosto e sinto prazer.

O retorno financeiro vem de uma cumplicidade com esse cliente que, ao enxergar uma solução para suas demandas, investe no seu produto entendendo que ele está indo além de adquirir algo, está resolvendo um problema. E você já parou para pensar qual o valor de resolver um problema? O valor dessa solução pode estar muito acima do custo financeiro.

Vamos fazer uma equação simples que vai ajudá-lo nos seus primeiros passos rumo a seu infoproduto: Vamos supor que você ame turismo de aventura. Você tem paixão pelo tema, pratica, conhece o caminho, tem contatos e sabe das possibilidades da área, você tem P (Paixão) e H (Habilidade), no turismo de aventura. Começamos bem! Contudo, será que é uma área rentável financeiramente? É importante verificar se já existe um nicho em que um público pague por isso. Em caso afirmativo, podemos somar o "P" da sua paixão, alegria de viver para aquilo, mais o "H" da habilidade de lidar com o assunto, e o "$" que chancela que o investimento nessa área tem possibilidade de retorno financeiro. Se você juntar os três, encontrou o caminho para criar um infoproduto de sucesso.

Contudo, existe um fator que pode ser decisivo na solução dessa equação: Pegue o "P", o "H" e o "$", agora faça um círculo ao redor dele. Esse círculo é uma força, uma atitude, que é paixão por servir. Amor por levar às pessoas uma possibilidade de mudança, e é essa força que motivará você.

P + H + $

Outro ponto importante a ser considerado é como você vai passar confiança para seu cliente num ambiente virtual? Não dá para brincar na internet, hoje as pessoas precisam sentir essa relação pessoal, visto que o corporativismo e a impessoalidade não funcionam no empreendedorismo digital.

Claro que você, com o passar do tempo, precisa e deve ter uma empresa, à medida que vai construindo seu caminho, mas é necessário sempre manter essa aproximação do seu cliente, pois o que vai dar confiabilidade para ele comprar sua solução é saber que a pessoa que detém essa informação é capaz de ajudá-lo, e não uma empresa sem rosto nem alma. E essa confiança quem tem de passar para o cliente é você.

Muitas pessoas costumam me questionar: "Bruno, não dá para vender nada se eu não estiver nessa sintonia toda que você está falando?". Claro que dá, mas você sempre vai encontrar um teto. E o que eu estou falando aqui é de como maximizar seus resultados e ter um retorno surpreendente como, por exemplo, conseguir fazer um webnário que fature 100 mil reais em menos de uma hora. Ou abrir uma venda on-line e, em menos de vinte minutos, já ter o faturamento necessário para gerir seus negócios o ano todo.

Essas são experiências que já vivenciamos várias vezes. Por quê? Porque quando nós desenvolvemos campanhas de infoprodutos estamos focados na solução. Nós estamos completamente apaixonados pela ideia de saber que o nosso avatar vai virar um fã. Ele vai desembolsar uma grande quantidade de energia e dinheiro para seguir nosso trabalho e, no final da experiência, vai olhar e falar: "Foi o melhor investimento que eu já fiz na minha vida".

Portanto, você tem de persistir nisso com muita determinação, sem desistir. Você precisa ajudar seu avatar a considerar que a transformação de que ele necessita você tem condições de dar. Esse é o segredo!

E a internet lhe possibilita um feedback quase em tempo real de sua atuação na rede. Use isso a seu favor, construa uma reputação, uma autoridade com base na diversificação e na divulgação de conteúdos relacionados àquilo que você ensina, seu produto *premium* restrito aos usuários pagantes.

Minha instituição sempre vendeu uma média de 200 entregas por mês. Um pouco mais ou menos. Essas entregas eram livros, CDs, DVDs, áudios de meditação. Hoje, nossas entregas aumentaram bastante, pelos Correios. Contudo, as matrículas em programas on-line multiplicaram 10 vezes, no mínimo. Ou seja, mensalmente nós liberamos de 1.200 a 4 mil inscrições em programas on-line.

Em outras palavras: a transição de um processo de venda de produto físico para o universo on-line é muito mais fácil do que se você estivesse no mundo on-line e quisesse passar para o físico.

Pela internet temos a facilidade das plataformas de pagamento, as estratégias inovadoras do marketing digital, a orientação de especialistas no ramo que podem lhe oferecer técnicas e métodos de simples aplicação, entre outros.

Portanto, se souber investir em cursos, treinamentos e parcerias certas, você vai conseguir trabalhar do jeito novo, que é o jeito da liberdade. E a palavra de ordem é: escala.

Espero ter contribuído para que você pense melhor sobre isso e enxergue as inúmeras possibilidades que existem para seu infoproduto. E que você faça a diferença nesse novo jeito de trabalhar, espetacular, que gera escala, possibilidades e consequentemente prosperidade. E não esqueça: quando você transforma a vida das pessoas, você está transformando a sua vida também.

Lições Aprendidas

Descubra a missão da sua alma, pois ela é a bússola interna que guia todos os nossos sentidos. Viver a verdade é olhar para dentro e viver sua missão.

Levamos uma vida de urgências e decisões sem reflexão, que não respeitam nossa essência. Tomamos ações movidas por obrigação, impulso, senso de responsabilidade, mas não por amor. E a motivação errada causa limitações, dor e insatisfação.

Em contrapartida, quando estamos conectados com aquilo que desenvolvemos ficamos alertas, com percepção apurada para oportunidades. E passamos a olhar menos os nossos produtos e mais as necessidades de nossos clientes.

Só conseguimos fazer diferença na vida das pessoas se agregarmos valor a elas. Por isso, observe as demandas do cliente, os problemas que ele quer resolver.

Um infoproduto de grande aceitação é a informação que resolve um problema do seu cliente. O cliente vai investir naquilo que traz algum ganho para ele. É um conhecimento, com uma embalagem apropriada, que faz com que seu avatar ganhe muito tempo, solucione um problema, um ponto de dor, algo que o está incomodando.

Mostre ao avatar que você tem condições de resolver o problema dele.

Importante: o infoproduto precisa ser uma extensão de você, seu melhor papel para ajudar outras pessoas. Isso vai agregar uma identidade, um diferencial que causará confiabilidade no consumidor, causando engajamento acima da média.

Se você oferecer um produto que todo mundo está vendendo e isso não tiver nada a ver com sua essência, seu infoproduto ficará fraco, sem novidades, e você não terá energia para fazer com que ele chegue às mãos do seu avatar.

Quando você se sintoniza com um infoproduto que faz parte de você, você tem mais energia, criatividade e motivação para fazer desse produto um sucesso.

É possível vender sem estar nessa sintonia toda, mas você encontrará um teto.

Para criar um infoproduto de sucesso, encontre um tema pelo qual você tenha Paixão (P), Habilidade para lidar com o assunto (H), e no qual haja a possibilidade de retorno financeiro ($).

Una esses 3 itens (P + H + $) com um círculo que representa uma força, uma atitude, uma paixão por servir. Amor por levar às pessoas uma possibilidade de mudança. Essa é a força que motivará você.

Desenvolva campanhas focadas na solução. Faça com que o cliente considere que fez o melhor investimento da vida dele.

Persista nisso com muita determinação, sem desistir.

A internet possibilita um feedback quase em tempo real de sua atuação na rede. Use isso a seu favor, construa uma reputação, uma autoridade com base na diversificação e na divulgação de conteúdos relacionados àquilo que você ensina.

A transição de um processo de venda de produto físico para o universo on-line é muito mais fácil do que se você estivesse no mundo on-line e quisesse passar para o físico.

Quando você transforma a vida das pessoas, você está transformando a sua vida também.

Este capítulo do Bruno Gimenes ensinou grandes segredos para seu sucesso nos negócios on-line. Sugestão de ouro: absorva e pratique seus ensinamentos. E, para reforçar isso ainda mais, acesse **www.conaed.com.br/negociosdigitais-brunogimenes** e aproveite mais um bônus especial para você. ■

CAPÍTULO 18

COMO ENTRAR EM CAMPO DE FORMA MAIS PRODUTIVA

Christian Barbosa

Acredito que você tenha percebido a importância da ordem em que os capítulos deste livro foram organizados. Você já passou pelos ensinamentos do empreendedorismo digital e marketing on-line. Agora é hora de agir. Neste capítulo, o penúltimo, você vai ver como pôr "mãos à obra" otimizando seu tempo e sua produtividade. Talvez você já seja empreendedor, talvez você esteja considerando se tornar um. De uma forma ou de outra, o grande especialista em gestão do tempo e produtividade, o mais renomado nome deste país no assunto, o respeitadíssimo Christian Barbosa, vai trazer informações práticas para que você construa seu negócio de forma mais eficiente. Aproveite o seu tempo!

ALAN PAKES

Costumam dizer por aí que eu sou uma espécie de "Senhor do Tempo", mas prefiro dizer que sou um "Jovem do Tempo". Esse apelido me foi atribuído graças a uma matéria de jornal na qual eu dissertava sobre esse tema de interesse universal nos dias de hoje: a gestão do tempo.

Ao longo de minha vida profissional, mais de uma década, depois de muitos estudos, pesquisas, cursos e leituras, acabei me tornado um expert no que se refere a produtividade e gestão do tempo.

Costumo dizer que eu não escolhi me especializar nesse assunto, e sim o contrário, ou seja, quem me escolheu foi ele. Alguns acontecimentos em minha história acabaram me levando a um aprofundamento desse tema, e, hoje, sou reconhecido como um especialista no ramo. Tenho seis livros publicados e sou fundador da Tríade PS, empresa de consultoria e gestão de tempo que oferece soluções para melhor aproveitamento da produtividade de ações na vida das pessoas.

Atualmente, temos como clientes cerca de 54% das mil empresas de grande porte do país. Esses clientes contratam consultoria, programas de produtividade, software, palestras e treinamentos a fim de alavancar o nível de produtividade dos negócios através do desenvolvimento de seus colaboradores no que se refere à gestão do tempo.

Contudo, eu não nasci especialista nesse tema. Foram os problemas na minha carreira de empreendedor que me fizeram repensar minha vida. Talvez minha história como empreendedor possa ajudar você, que está pensando em iniciar um negócio agora ou já tem um e está em busca de conhecimentos que possam fazê-lo gerar resultados mais assertivos.

Comecei a empreender muito jovem! Abri a minha primeira empresa de tecnologia com apenas 15 anos. Eu havia tido uma pequena experiência com a Microsoft e, pouco tempo depois, acabei fundando a Blue Eagle.

Nós oferecíamos soluções de web para clientes corporativos, e, do alto dos meus 18 anos, eu me vi à frente de uma empresa líder de mercado, com uma série contratos grandiosos para dar conta e uma responsabilidade acima do normal para um jovem daquela idade.

Eu trabalhava demais, o que é muito comum entre os empreendedores, seja no início do negócio, seja no auge do sucesso dele. Muitas pessoas pensam assim: "Ah, eu vou me matar de trabalhar até o momento que eu ganhar dinheiro e, depois, vou aproveitar a vida e manter a empresa somente gerando o suficiente para garantir uma boa condição de vida".

Contudo, devo lhe informar que isso simplesmente não existe. Eu alcancei minha independência financeira com 17 anos e não parei nem um minuto de trabalhar. Ao contrário, quanto mais o negócio cresce, mais você adquire tarefas e responsabilidades.

No começo, os empreendedores trabalham pensando no dinheiro, pois, geralmente, anseiam por uma estabilidade financeira. No entanto, quando ela é atingida, o desejo não é parar de trabalhar, e sim o oposto. E você se torna um viciado, no bom sentido. No entanto, você não se vicia mais em ter dinheiro e sim na própria realização profissional – que lhe faz querer mais e mais e mais...

Foi o que aconteceu comigo. E a coisa foi tão intensa que eu caí doente. Começou como uma estafa, que se agravou com uma gastrite acompanhada de uma úlcera e, por fim, desenvolvi um tumor no tubo digestivo, o que me fez parar e colocar o pé no freio.

Na época, além de fazer os exames e os tratamentos necessários, o meu médico me orientou a promover uma mudança de vida. Eu precisava me alimentar melhor, trabalhar de maneira mais equilibrada, aprender a respirar, cuidar do meu corpo, do espírito, da saúde e mais uma porção de coisas.

E, entre os conselhos, ele sugeriu que eu procurasse praticar algo que me ajudasse nessa transformação, uma atividade como ioga, meditação ou um curso de gestão de tempo.

Achei tudo aquilo uma bobagem sem tamanho, mas minha secretária acabou fazendo a escolha por mim. Nem preciso dizer em que atividade ela resolveu me matricular, não é? Pois bem, fui inscrito num curso gestão de tempo. E não é que eu fiz e adorei?

Gostei tanto daquilo que acabei repetindo a dose e, em um semestre, cursei três vezes as mesmas aulas. Nesse período, comecei a perceber alguns resultados práticos na forma como minha vida passou a se reorganizar.

As pessoas costumam me perguntar: "Ah, foi do dia para a noite?". E sempre respondo que não! O que posso afirmar é que, quatro meses depois, eu passei a observar que as orientações sobre gestão de tempo estavam me ajudando a criar novos hábitos que, aos poucos, aumentaram consideravelmente minha qualidade de vida.

Foi quando descobri que meu maior problema não eram as questões de saúde, e sim minha desorganização, que me levava a enfermidades diversas. Se eu continuasse naquele ritmo, fazendo as coisas atropeladamente, no piloto automático, sem perceber o que isso acarretava na minha vida, eu teria tido muitos outros problemas de saúde.

O fato é que passei a enxergar o tempo como algo concreto e visível aos olhos. Descobri o valor de cada hora que eu gastava e, principalmente, em que eu as usava. Percebi uma série de desperdícios de minutos em coisas que não me agregavam nada. E a coisa foi ficando fascinante porque passei a "economizar" meu tempo, ou seja, a remanejá-lo para ações mais efetivas e importantes para mim. E, de repente, notei que estava terminando as tarefas e as responsabilidades do dia antes do anoitecer. Finalmente, sobrava tempo, sem que nada tivesse ficado pendente.

Foi quando comecei a dar consultorias a respeito desse tema. Na verdade, começou como um hobby. Eu atuava como instrutor de gestão de tempo apenas nas horas livres – sim, agora elas existiam! No entanto, eu fazia aquilo com tanta paixão que, algum tempo depois, em meados de 2003, resolvi expandir meus conhecimentos a fim de passar a trabalhar no ramo de forma mais efetiva.

Então, iniciei um estudo sobre a gestão do tempo associada à produtividade. E minha pesquisa me deu uma série de respostas, mas também uma porção de novas perguntas. E isso foi ótimo porque proporcionou justamente o que eu desejava: a busca por me tornar um expert no assunto.

Como minha formação acadêmica é na área de exatas – Computação e Matemática –, investi na elaboração de uma base estatística muito sólida a fim de comprovar ou desconstruir algumas teorias.

Consegui fazer um levantamento preciso do que funcionava, de fato, e do que não tinha tanta efetividade em resultados quando o assunto era produtividade e gestão de tempo. Foi o que me ajudou a desenvolver um método novo, criado por mim, que passou a ser testado com algumas pessoas que se voluntariavam acreditando na minha pesquisa.

Quando senti segurança de que meu método realmente tinha um bom alicerce, passei a investir muito mais no desenvolvimento dele. Foram milhões de reais gastos em pesquisas, levantamento de estatísticas, dados comportamentais, consultorias com profissionais da área da Psicologia e também do campo da Neurociência.

E, durante esse processo, foi feito um laboratório no uso dessas novas técnicas associadas a testes com ressonância magnética funcional. E eu só dei o método por finalizado quando obtive resultados expressivos em mais de 75% das pessoas que se submeteram a ele.

E assim nasceu a Tríade do Tempo, uma metodologia completa e assertiva que, posteriormente, tornou-se um grande sucesso no Brasil e no mundo.

No fim das contas, acabei vendendo a Blue Eagle e transformei a Tríade em uma empresa que cresceu rapidamente. E, hoje, atuamos em mais de 50 países e somos líderes em muitos mercados nesse segmento de produtividade, em consultoria e treinamento, com uma base de dados gigantesca, no que se refere à gestão de tempo.

Muitas pessoas costumam me procurar a fim de obter dicas com relação ao início de um empreendimento próprio. E, nessa jornada, uma gestão assertiva do tempo é fundamental. Imagino que você, ao buscar a leitura deste livro, também esteja interessado em saber quais seriam minhas dicas aos novos empreendedores.

Então, vamos a elas:

1. Respeite o tempo do empreendimento

A palavra de ordem para quem deseja se tornar um empresário é calma. Não deixe que a ansiedade o tome a ponto de fazer com que você "se mate de trabalhar". Esse foi o meu erro lá atrás, lembra?

Se você não quer terminar seu empreendimento com um tumor ou algo do tipo, respire fundo e respeite o tempo que as coisas precisam ter para acontecer.

Se você tem um emprego fixo e trabalha oito horas por dia, mas deseja abrir o próprio negócio, recomendo que mantenha as duas coisas em paralelo enquanto for possível.

Você pode começar fazendo uma pesquisa de mercado a fim de angariar o máximo de informações possíveis sobre o nicho no qual deseja atuar. Procure conhecer seus concorrentes e descobrir que produtos eles andam oferecendo. Faça um levantamento dos custos para a abertura do seu negócio, seja físico, seja on-line, e procure entender quanto tempo você terá de se dedicar ao empreendimento quando ele começar a ser montado.

2. Monte um plano de negócios simples

Quanto mais você se cercar de informações, mais preparado vai ficar para a etapa seguinte que é o desenvolvimento de um pequeno plano de negócios.

Estou me referindo a um plano de negócios simples e prático, que não tem nada a ver com aquele formato acadêmico que você levaria seis meses para concluir.

Procure o método Canvas, cujo modelo pode ser facilmente encontrado na internet – inclusive no site do Sebrae. Ele vai ajudá-lo a montar, em uma página, seu plano de negócios. E assim você terá em mãos os gatilhos dos quais precisa para começar a empreender.

Esses gatilhos se transformarão em planos de ação. Por exemplo, se você pretende abrir uma loja de roupas íntimas, elabore um projeto a fim de estruturar isso.

O projeto deve conter um brainstorm com as informações essenciais ao seu negócio. Ele ditará os primeiros passos que precisam ser dados, como, por exemplo, pesquisar a região da cidade mais propícia ao tipo de produto que você vai oferecer; verificar os preços de locação de um estabelecimento comercial, entre outros.

Então o projeto (que pode ser feito no Excel ou numa folha de papel que você vai pendurar num quadro de avisos) deverá conter uma série de tarefas como: "Ligar para a imobiliária e pedir informações"; "Visitar o bairro X e fazer uma pesquisa com as pessoas da região" etc.

Feita essa lista, comece a estabelecer prazos para que essas atividades sejam cumpridas. Lembre-se: você não tem o dia inteiro, seja porque mantém um emprego fixo, seja porque tem filhos e uma casa para administrar, entre outros. Então, você precisa se organizar pensando da seguinte forma: "Eu só fico livre depois das 21 horas e vou aproveitar o período noturno para enviar e-mails às imobiliárias" ou "Vou pedir para minha esposa/irmão/filho ver isso, isso e isso para mim".

E essa última citação é importante porque toca na questão de saber delegar tarefas e colocar outras pessoas para ajudá-lo a realizar o que você deseja. Não pense que pode fazer tudo sozinho. Seu tempo precisa ser empregado nas questões de maior complexidade, aquelas que só você pode fazer. Portanto, as tarefas menores podem ser repassadas a pessoas em quem você confie minimamente.

3. Pratique o *follow up*

Quando eu estava no processo de escrita do livro *Equilíbrio e resultado*, resolvi mapear o comportamento e as ações comuns às pessoas que alcançam extraordinário sucesso no que fazem.

E foi muito gratificante porque tive a oportunidade de entrevistar grandes nomes do empreendedorismo, como Jeff Taylor (criador do site monster.com), que chegou a faturar bilhões de dólares com seu conteúdo on-line.

Em nossa conversa, ele me disse que costumava desenvolver seus projetos criando listas de ações com seus respectivos prazos e, principalmente, tinha o hábito de fazer *follow up* – coisa essencial para qualquer empreendedor.

Daí você se pergunta: "O que é *follow up*?". Bom, é simples! Toda sexta-feira você vai separar uma hora do seu dia para conferir o seu plano de ação (a sua lista de tarefas). Dessa forma, você vai descobrir quais atividades já deveria ter feito e ainda não fez.

Em geral, o que acontece é que as pessoas fazem as suas listas, mas, rapidamente, esquecem-se delas. E, dessa forma, algumas tarefas deixam de ser cumpridas e vão se acumulando até que, lá na frente, elas se tornarão urgências, ou seja, "incêndios que você vai ter de correr para apagar".

Portanto, se você tiver essa prática do *follow up* semanal, certamente suas tarefas vão estar sempre sendo verificadas. E isso vai lhe possibilitar obter um controle maior sobre sua produtividade, o cumprimento das etapas de trabalho e, por fim, a evolução do seu plano de negócio.

4. Evite a procrastinação

Para quem não sabe, a procrastinação é um mal da humanidade. Procrastinar é adiar algo que precisa ser executado, ou seja, trata-se do velho chavão: "Deixar para amanhã o que pode ser feito hoje".

Em meu livro *Equilíbrio e resultado*, ensino 3 técnicas para que as pessoas evitem a procrastinação.

A primeira delas é transformar tarefa em compromisso. Se você precisa fazer algo e tem deixado para depois, recomendo que agende consigo mesmo uma reunião na qual sua pendência será concluída.

Por exemplo, marque das 10 às 13 horas para cuidar somente da execução daquela tarefa. Durante esse período, você deve manter o celular desligado ou distante, de forma que nada o distraia do que precisa fazer.

Se você trabalha em casa, uma dica que dá bastante resultado é sair desse ambiente que favorece inúmeras possibilidades de procrastinação, afinal, é a sua casa, onde você pode fazer o que quiser. Inclusive, adiar uma tarefa para ver TV.

Nesse caso, alugue uma sala de reuniões e se desloque da sua zona de conforto. Nesse espaço físico, as distrações serão menores, e você saberá que tem um tempo determinado para usá-lo. Portanto, a pressão será maior e você se sentirá impulsionado a cumprir a tarefa em questão. Isso sem contar que estará pagando para estar ali, ou seja, não vai querer ver seu dinheiro sendo desperdiçado.

A segunda técnica para driblar a fadiga mental é saber dividir certas atividades – que lhe parecem enormes – em etapas. Ou seja, transformar algo grande em uma coisa menor.

As pessoas costumam ter muita dificuldade para dar "o próximo passo", e, se ele for do tamanho de um elefante, isso certamente fará com que elas se paralisem diante do obstáculo a ser transposto.

No entanto, em vez de pensar que vai ter de esticar a perna a ponto de simular a potência do passo do elefante, você pode pegar aquele caminho que precisa ser trilhado e dividi-lo em 5 passinhos menores.

E, então, começa a caminhar e sai da paralisia. Andando de pouquinho em pouquinho, até chegar ao ponto final, ou seja, o fim da tarefa que precisa executar.

Imagine que você precise realizar uma atividade que vai levar trinta minutos para ser concluída. Se você conseguir dividi-la em duas partes, poderá executar a primeira fatia dela em quinze minutos.

Depois disso, você levanta, toma um café, confere uma rede social e, naturalmente, após o momento de distração, você se sentirá mais confiante e animado para cumprir a segunda parte, que lhe ocupará por apenas mais quinze minutos.

A terceira técnica para evitar a procrastinação é a adoção de um ritual de trabalho que é a forma como você costuma cumprir suas tarefas. Certamente, existem hábitos que se repetem dentro do seu processo de produção. No entanto, você não repara muito nisso e a coisa acontece intuitivamente – o que, muitas vezes, pode significar certa desordem de ações.

Eu, por exemplo, costumo ter como tarefa semanal a escrita de alguns capítulos para veículos de imprensa e internet. Toda quinta-feira, tenho de enviar esses textos para seus respectivos destinatários. Por isso, em geral na terça-feira eu coloco a relação dos capítulos a ser produzidos na minha lista de tarefas.

Então, pego meu quadro branco – tenho um em casa e outro no escritório – onde faço um rascunho de ideias, em forma de tópicos, que poderão ser abordados durante o texto. A partir daí, anoto também na minha lista os temas que serão trabalhados em cada capítulo com seus desdobramentos.

Essas anotações ficam lá no quadro, sempre num local por onde meu olho "passeia", mesmo quando estou distraído. E assim vou maturando a produção daquilo, até que me sento e começo, de fato, a escrever.

Isso tudo já é, de certa forma, um ritual. Contudo, quando eu me sento para escrever, a coisa se intensifica. Primeiro eu acesso o YouTube e escolho algum tipo de música que me agrade – dependendo do meu humor naquele dia. Há momentos em que vou de sertanejo, em outros, quando estou mais contemplativo, opto por um som no estilo de Passenger e coloco *Let her go* para tocar. Enfim, as possibilidades são muitas, mas o fato é que deixo a música rolando e abro o Word. E é a partir daí que meu trabalho começa de verdade!

Se você me perguntar: "Mas, Christian, você sempre usa o YouTube? Não pode tentar colocar um CD ou um player qualquer?". A resposta é não! E sabe por quê? Por que o meu cérebro já associou um caminho: acessar o YouTube, criar uma seleção de músicas com duração de quarenta minutos e abrir o Word . Esse caminho é o que eu chamo de ritual de trabalho. E quando a seleção acaba, quarenta minutos depois, meu capítulo está pronto.

Portanto, crie seu ritual próprio e, em pouco tempo, seu cérebro vai se adaptar aos estímulos que você escolheu dar a ele. E seu trabalho passará a fluir com mais foco e potencial de finalização.

5. Aprenda a gerenciar seu tempo

Para que você se torne o senhor do seu tempo, é preciso adotar um método para seguir no que se refere a esse campo. A Tríade, metodologia que criei para ajudar as pessoas a gerir melhor seu tempo, ensina algumas técnicas:

a) Todas as suas tarefas devem estar centralizadas num mesmo local. Elas precisam ser colocadas por escrito em algum lugar porque você vai precisar visualizá-las constantemente. Esse é o grande segredo da produtividade. Dentro de uma empresa, muitas pessoas se perdem porque não têm consciência exata de quantas e quais tarefas precisam fazer e dentro de que prazo. Muitas vezes, parte das tarefas está na caixa de e-mails, em mensagens diversas; outra parte pode estar anotada numa agenda e mais tantas outras marcadas no celular, bloco de notas do notebook e, pasme, há chefes que delegam funções até pelo inbox do Facebook. Isso faz com que as pessoas se percam completamente! Portanto, esteja atento a pegar todas as demandas que chegam até você, seja por que veículo for, e centralizar suas tarefas num mesmo local. Pode ser seu quadro de avisos, sua agenda pessoal ou uma planilha no Excel – o importante é que tudo esteja armazenado numa mesma lista criada num espaço único.

b) Tente planejar todas as suas tarefas com três dias de antecedência, no mínimo. Monte seu cronograma de trabalho respeitando esse prazo. Por exemplo, você pode separar uma hora do seu dia, toda segunda-feira, para listar o que precisa ser feito em cada dia da semana. Saiba que, estatisticamente, as pessoas que não fazem um planejamento prévio, aquelas que acordam pela manhã e não rascunham na cabeça o que pretendem fazer, acabam criando um déficit mental e neurológico para si mesmas. Por isso, se você não cultivar a capacidade de planejar suas atividades, pelo menos, três dias à frente do dia em que está, você se tornará um ser reativo. Essas pessoas vivem no tempo da urgência. Nada é programado, então, somente no dia do prazo final é que percebem que uma tarefa precisa ser executada e, consequentemente, essa tarefa acaba virando uma urgência. E isso estressa, causa estafa, irritação, mexe com o humor e revela que a produtividade dessas pessoas anda bem enferma.

c) Outra coisa muito importante: classifique seu tempo. De acordo com a metodologia da Tríade do Tempo, você deve categorizar suas tarefas em 3 esferas: Importante, Urgente e Circunstancial. A partir do momento em que você tem consciência da classificação de cada tarefa, seu córtex é ativado e você passa a fazer o seu planejamento de trabalho de uma forma muito mais inteligente. Nos treinamentos da Tríade, as pessoas têm a chance de calcular a porcentagem com que estão utilizando seu tempo em cada uma dessas 3 esferas. Ou seja, elas descobrem como o tempo está sendo gasto "tantos por cento no Urgente", "tantos por cento no Importante" e "tantos por cento no Circunstancial". E o processo é transformador porque, até então, elas não faziam ideia de nada disso. E a mente começa a trabalhar de outra maneira. O pensamento se modifica. Em geral, quatro semanas depois de fazer um teste como esse, as pessoas notam uma grande diferença na forma de agir e de se organizar. O cérebro, naturalmente, passa a conduzir a organização das tarefas de uma nova maneira, e contra números não há argumentos. Se você tem resultados e vê progressos, sentirá mais conforto e tranquilidade no seu dia a dia para cumprir tudo o que precisa ser executado.

d) Separe um tempo para você! Comece a colocar, por exemplo, em uma semana pesada, dois ou três dias para praticar um esporte do qual goste ou um curso de artes, o que lhe der mais prazer. Eu, por exemplo, gosto de tênis e jogo duas ou três vezes por semana. Por quê? É uma coisa que vai me dar um enorme potencial de energia para alimentar minha disposição na hora de cumprir minhas tarefas do dia seguinte. Lembrando que esse tempo que vai ser dedicado a você não precisa ser necessariamente uma atividade fixa como um esporte ou um curso. Pode ser apenas uma noite da semana que você sai para jantar fora ou aquele dia do happy hour com seus amigos. O importante é que você se "desligue" do "mundo das tarefas" nesse momento.

Ter tempo não é algo impossível. É uma ciência que quando aplicada traz muitos resultados.

Lições Aprendidas

"No começo, os empreendedores trabalham pensando no dinheiro, pois, geralmente, anseiam por uma estabilidade financeira. No entanto, quando ela é atingida, o desejo não é parar de trabalhar, e sim o oposto. E você se torna um viciado, no bom sentido. No entanto, você não se vicia mais em ter dinheiro, mas na própria realização profissional – que lhe faz querer mais e mais e mais..."

O problema das pessoas é a desorganização. No início de um empreendimento próprio, a gestão assertiva do tempo é fundamental.

As 5 dicas aos novos empreendedores:

1. Respeite o tempo do empreendimento:
   - Tenha calma. Não deixe que a ansiedade assuma a ponto de você se "matar de trabalhar".
   - Se você tem um emprego fixo e deseja ter um negócio próprio, mantenha as duas atividades em paralelo enquanto possível.
   - Faça uma pesquisa de mercado para obter o máximo de informações sobre o nicho em que deseja atuar. Procure conhecer seus concorrentes, os produtos que oferecem. Faça um levantamento dos custos de abertura de um negócio, seja físico, seja on-line, e procure entender quanto tempo você precisará se dedicar quando ele começar a ser montado.
2. Monte um plano de negócios simples:
   - Utilize o método Canvas. O projeto deve conter um brainstorm com as informações essenciais do seu negócio. Também deverá conter uma série de tarefas e seus respectivos prazos para execução.
   - Não pense que pode fazer tudo sozinho. Seu tempo precisa ser empregado nas questões de maior complexidade, aquelas que só você pode fazer. As tarefas menores podem ser repassadas a pessoas em quem você confie minimamente.
3. Pratique o follow up:
   - Toda sexta-feira, separe uma hora do seu dia para verificar seu plano de ação (sua lista de tarefas). Você vai descobrir quais atividades você já deveria ter feito e ainda não fez.
   - Em geral, as pessoas fazem suas listas, mas se esquecem delas rapidamente. E, dessa forma, algumas tarefas deixam de ser cumpridas e vão se acumulando. Lá na frente, elas se tornarão urgências, ou seja, "incêndios que vai ter de correr para apagar".
4. Evite a procrastinação:
   - As 3 técnicas para evitar a procrastinação
     1. Transforme tarefas em compromissos. Agende consigo mesmo uma reunião em que sua pendência será concluída. Alugue uma sala de reuniões e se desloque da sua zona de conforto.
     2. Divida certas atividades que parecem enormes em etapas. As pessoas têm dificuldade em dar o próximo passo e, se ele for enorme, elas paralisam. Pegue o caminho a ser trilhado e divida em 5 passinhos menores.

3. Adote um ritual próprio de trabalho da forma como você costuma cumprir suas tarefas. Em pouco tempo, seu cérebro vai se adaptar aos estímulos que você escolheu dar a ele. Seu trabalho fluirá com mais foco e potencial de finalização.

5. Aprenda a gerenciar seu tempo:

- Técnicas

  a) Todas as suas tarefas devem estar centralizadas num mesmo local. Você precisa visualizá-las constantemente.

  b) Tente planejar todas as suas tarefas com três dias de antecedência, no mínimo. Você pode separar uma hora do seu dia, toda segunda-feira, por exemplo, para listar o que precisa ser feito em cada dia da semana.

  c) Classifique seu tempo em 3 esferas: Importante, Urgente e Circunstancial.

  d) Separe um tempo para você! Em uma semana pesada, reserve hora em dois ou três dias para praticar um esporte do qual goste ou um curso de artes, o que lhe der mais prazer. O importante é que você se "desligue" do "mundo das tarefas" nesse momento.

Espero que você tenha entendido que este capítulo foi preparado para você começar a colocar a mão na massa agora mesmo. Vá até o **www.conaed.com.br/negociosdigitais-christianbarbosa** e acesse o bônus especial do capítulo do Christian Barbosa. Você merece! ■

CAPÍTULO 19

E AGORA? O QUE É QUE EU FAÇO AGORA?

Alan Pakes

Celebre! Agora é hora de celebrar! Você acabou de ter acesso aos mais poderosos conhecimentos de negócios existentes no Brasil.

A força da internet e toda a filosofia pela qual o empreendedorismo e o marketing digital é o que tem gerado enormes resultados, em curtíssimo espaço de tempo, com pouquíssimo investimento financeiro necessário.

E o melhor: os clientes desses empreendedores têm se beneficiado muito com tudo isso, pois os produtos entregues a partir desse movimento são realmente transformadores e causam enormes melhorias na vida delas.

Isso tudo causa um enorme impacto positivo na sociedade. Isso tudo ajuda na construção de um mundo melhor e mais justo, baseado fortemente em meritocracia e em conhecimento que faz a diferença para as pessoas.

Todo esse movimento quebra muitos paradigmas, formas antigas de construir um negócio que funcionaram por muito tempo, mas que começaram a ficar ultrapassadas com a evolução das comunicações e dos relacionamentos entre as pessoas.

Esse movimento do empreendedorismo digital também se apoia em coisas óbvias, mas que a maioria das pessoas não enxerga até que "caia a ficha".

Contudo, aqui cabe um alerta importante! Nem todo mundo tem resultado com esse trabalho todo. Isso acontece por alguns motivos.

O primeiro deles é que a maioria das pessoas não age. Se elas não agem, simplesmente é impossível gerar resultado. A lição aqui é, você precisa colocar a mão na massa! Quanto antes! Mesmo que não se sinta pronto, mesmo que não saiba tudo, a hora de começar é agora!

O segundo é que as pessoas o fazem de forma desorganizada e sem foco. Foi exatamente por isso que organizei o portal deste livro, para que você saiba por onde começar, passo a passo, com foco total no seu resultado.

E outro grande motivo para não alcançar o sucesso é a falta de perseverança e persistência. Napoleon Hill, autor de *Quem pensa enriquece*, estudou por 25 anos as pessoas mais ricas para descobrir o que elas tinham em comum. Ele descobriu que só se alcança o sucesso com muita persistência. Insista! Você já está no caminho certo.

Ou seja, o fracasso não é o oposto do sucesso, mas, sim, parte do caminho para o sucesso. Isso acontece com todo mundo que inicia uma nova jornada. Cair faz parte do processo de aprender a andar. Toda criança sabe disso. Quando cair, aja como uma criança, levante-se e continue. Ou seja, essa é a parte da persistência. O mesmo Napoleon Hill afirma que o fracasso não pode vencer a persistência até chegar ao sucesso.

No caminho para o sucesso como empreendedor, você enfrentará muitos desafios, incluindo a resistência de pessoas ao seu redor. Isso acontece porque você e eu, que somos empreendedores, não pensamos como a grande maioria, pois elas querem ter segurança, precisam ver para crer.

Enquanto isso, nós, empreendedores, agimos de outra forma. Nós temos a coragem de assumir os riscos. Isso, na verdade, nos estimula. Nós não precisamos ver para crer, nós precisamos crer para ver.

Pense na palavra visionário. O visionário é aquele que vê antes de todo mundo. É aquele que vê as coisas antes de elas existirem. É aquele que sonha. É aquele que acredita num sonho. É aquele que tem a coragem de construir o sonho. Tudo o que está a nossa volta foi construído um dia por um visionário.

A maioria das pessoas não entende essa forma de pensar. E isso, na verdade, é uma grande oportunidade, pois diminui a concorrência para você construir aquilo que os outros não ousam construir.

Neste exato momento em que acabou de ler este livro, você já tem acesso a tudo o que precisa para começar (se é que já não começou antes ou durante a leitura). E você ainda tem acesso a muito mais conteúdo no **www.conaed.com.br/negociosdigitais**.

Isso significa que você já está à frente de milhões de pessoas que não têm acesso a essa informação.

E, ao chegar ao final deste livro, você provou que já está na frente de muitas outras pessoas que simplesmente desistiram de ler até o final, não persistiram. Isso tudo prova que seu perfil é um perfil de vencedor, que você tem os elementos para o sucesso.

Isso prova que você é uma pessoa que se importa. Você se importa em fazer a diferença. Você se importa em construir um mundo melhor para você mesmo, para as pessoas que ama.

Organizei este livro porque ele faz parte da minha missão. Eu realmente quero construir um mundo melhor através do bom empreendedorismo, e você, a partir de agora, passou a ser ainda mais importante na realização da minha missão.

De agora em diante, você e eu somos parte do mesmo time.

A partir de agora, você é um replicador de tudo o que aprendeu. Espero que você comece a praticar (e só assim você poderá colher os resultados) e a disseminar as boas práticas do empreendedorismo que transforma.

Meu sonho é o de que um dia você possa me agradecer pelo que aprendeu aqui. Contudo, não quero que me agradeça com um "obrigado". A melhor forma de me agradecer é tendo sucesso.

Isso é realmente o que eu desejo. Que VOCÊ tenha sucesso! Isso porque seu sucesso é meu verdadeiro sucesso.

Parabéns por ter chegado até aqui. Você é alguém que se importa. VOCÊ É IMPORTANTE!

E nunca pare de comemorar!

Para não perder o costume, acesse o **www.conaed.com.br/negociosdigitais** e assista ao vídeo de celebração por ter chegado até o final do livro!

Grande abraço,

Alan Pakes

Conheça o Portal

www.conaed.com.br/negociosdigitais e tenha acesso a um curso on-line gratuito.

E descubra também os cursos exclusivos que são BÔNUS para os compradores deste livro!

Aprenda a usar o real poder da internet nos seus negócios e tenha sucesso!

Este livro foi impresso pela Rettec Gráfica em papel pamo classic 70 g.